CLASSIQUES LAROUSSE

Collection fondée en 1933 par FÉLIX GUIRAND
continuée par
LÉON LEJEALLE (1949 à 1968) et JEAN-POL CAPUT (1969 à 1972)
Agrégés des Lettres

MOLIÈRE

LES FEMMES SAVANTES

comédie

avec une Notice biographique, une Notice historique et littéraire,
des Notes explicatives, une Documentation thématique,
des Jugements, un Questionnaire et des Sujets de devoirs,

par

JEAN LECOMTE

*Professeur agrégé au lycée Voltaire
Docteur ès lettres*

LIBRAIRIE LAROUSSE

17, rue du Montparnasse, 75298 PARIS

RÉSUMÉ CHRONOLOGIQUE
DE LA VIE DE MOLIÈRE
1622-1673

1622 (15 janvier) — Baptême à **Paris**, à l'église Saint-Eustache, de Jean-Baptiste Poquelin, fils aîné du marchand tapissier Jean Poquelin et de Marie Cressé.

1632 (mai) — Mort de Marie Cressé.

1637 — Jean Poquelin assure à son fils Jean-Baptiste la survivance de sa charge de tapissier ordinaire du roi. (Cet office, transmissible par héritage ou par vente, assurait à son possesseur le privilège de fournir et d'entretenir une partie du mobilier royal; Jean Poquelin n'était évidemment pas le seul à posséder une telle charge.)

1639 (?) — Jean-Baptiste termine ses études secondaires au collège de Clermont (aujourd'hui lycée Louis-le-Grand), tenu par les Jésuites.

1642 — Il fait ses études de droit à Orléans et obtient sa licence. C'est peut-être à cette époque qu'il subit l'influence du philosophe épicurien Gassendi et lie connaissance avec les « libertins » Chapelle, Cyrano de Bergerac, d'Assoucy.

1643 (16 juin) — S'étant lié avec une comédienne, **Madeleine Béjart,** née en 1618, il constitue avec elle une troupe qui prend le nom d'**Illustre-Théâtre;** la troupe est dirigée par Madeleine Béjart.

1644 — Jean-Baptiste Poquelin prend le surnom de **Molière** et devient directeur de l'Illustre-Théâtre, qui, après des représentations en province, s'installe à Paris et joue dans des salles de jeu de paume désaffectées.

1645 — L'Illustre-Théâtre connaît des difficultés financières; Molière est emprisonné au Châtelet pour dettes pendant quelques jours.

1645
1658 — Molière part pour **la province** avec sa troupe. Cette longue période de treize années est assez mal connue : on a pu repérer son passage à certaines dates dans telle ou telle région, mais on ne possède guère de renseignements sur le répertoire de son théâtre; il est vraisemblable qu'outre des tragédies d'auteurs contemporains (notamment Corneille) Molière donnait de courtes farces de sa composition, dont certaines n'étaient qu'un canevas sur lequel les acteurs improvisaient, à l'italienne.
1645-1653 — La troupe est protégée par le duc d'Épernon, gouverneur de Guyenne. Molière, qui a laissé d'abord la direction au comédien Dufresne, imposé par le duc, reprend lui-même (1650) la tête de la troupe : il joue dans les villes du Sud-Ouest (Albi, Carcassonne, Toulouse, Agen, Pézenas), mais aussi à Lyon (1650 et 1652).
1653-1657 — La troupe passe sous la protection du prince de Conti, gouverneur du Languedoc. Molière reste dans les mêmes régions : il joue le personnage de Mascarille dans deux comédies de lui (les premières dont nous ayons le texte) : l'*Étourdi,* donné à Lyon en **1655,** *le Dépit amoureux,* à Béziers en **1656.**
1657-1658 — Molière est maintenant protégé par le gouverneur de Normandie; il rencontre Corneille à Rouen; il joue aussi à Lyon et à Grenoble.

1658 — Retour à Paris de Molière et de sa troupe, qui devient « troupe de Monsieur »; le succès d'une représentation (*Nicomède* et une farce) donnée devant le roi (24 octobre) lui fait obtenir la **salle du Petit-Bourbon** (près du Louvre), où il joue en alternance avec les comédiens-italiens.

1659 (18 novembre) — Première représentation des *Précieuses ridicules* (après *Cinna*) : grand succès.

1660 — *Sganarelle* (mai). Molière crée, à la manière des Italiens, le personnage de **Sganarelle,** qui reparaîtra, **toujours interprété par lui,** dans plusieurs comédies qui suivront. — Il reprend, son frère étant mort, la survivance de la charge paternelle (tapissier du roi) qu'il lui avait cédée en 1654.

© *Librairie Larousse,* 1971.   ISBN 2-03-870105-9

1661 — Molière, qui a dû abandonner le théâtre du Petit-Bourbon (démoli pour permettre la construction de la colonnade du Louvre), s'installe au **Palais-Royal**. *Dom Garcie de Navarre*, comédie héroïque : échec. *L'École des maris* (24 juin) : succès. *Les Fâcheux* (novembre), première comédie-ballet, jouée devant le roi, chez Fouquet, au château de Vaux-le-Vicomte.

1662 — **Mariage** de Molière avec **Armande Béjart** (sœur ou fille de Madeleine), de vingt ans plus jeune que lui. *L'École des femmes* (26 décembre) : grand succès.

1663 — Querelle à propos de l'*École des femmes*. Molière répond par *la Critique de l'* « *École des femmes* » (1er juin) et par l'*Impromptu de Versailles* (14 octobre).

1664 — Naissance et mort du premier enfant de Molière : Louis XIV en est le parrain. *Le Mariage forcé* (janvier), comédie-ballet. Du 8 au 13 mai, fêtes de l' « Île enchantée » à Versailles : Molière, qui anime les divertissements, donne *la Princesse d'Élide* (8 mai) et les trois premiers actes du *Tartuffe* (12 mai) : **interdiction** de donner à Paris cette dernière pièce. Molière joue *la Thébaïde*, de Racine.

1665 — *Dom Juan* (15 février) : malgré le succès, Molière, toujours critiqué par les dévots, retire sa pièce après quinze représentations. Louis XIV donne à la troupe de Molière le titre de « troupe du Roi » avec une pension de 6 000 livres (somme assez faible, puisqu'une bonne représentation au Palais-Royal rapporte, d'après le registre de La Grange, couramment 1 500 livres et que la première du *Tartuffe*, en 1669, rapportera 2 860 livres). *L'Amour médecin* (15 septembre). Brouille avec Racine, qui retire à Molière son *Alexandre* pour le donner à l'Hôtel de Bourgogne.

1666 — Molière, malade, cesse de jouer pendant plus de deux mois ; il loue une maison à Auteuil. *Le Misanthrope* (4 juin). *Le Médecin malgré lui* (6 août), dernière pièce où apparaît Sganarelle. En décembre, fêtes du « Ballet des Muses » à Saint-Germain : *Mélicerte* (2 décembre).

1667 — Suite des fêtes de Saint-Germain : Molière y donne encore *la Pastorale comique* (5 janvier) et *le Sicilien ou l'Amour peintre* (14 février). **Nouvelle version du *Tartuffe***, sous le titre de l'*Imposteur* (5 août) : la pièce est **interdite** le lendemain.

1668 — *Amphitryon* (13 janvier). *George Dandin* (18 juillet). *L'Avare* (9 septembre).

1669 — Troisième version du *Tartuffe* (5 février), enfin **autorisé** : immense succès. Mort du père de Molière (25 février). A Chambord, *Monsieur de Pourceaugnac* (6 octobre).

1670 — *Les Amants magnifiques*, comédie-ballet (30 janvier à Saint-Germain). *Le Bourgeois gentilhomme*, comédie-ballet (14 octobre à Chambord).

1671 — *Psyché*, tragédie-ballet avec Quinault, Corneille et Lully (17 janvier), aux Tuileries, puis au Palais-Royal, aménagé pour ce nouveau spectacle. *Les Fourberies de Scapin* (24 mai). *La Comtesse d'Escarbagnas* (2 décembre à Saint-Germain).

1672 — Mort de Madeleine Béjart (17 février). *Les Femmes savantes* (11 mars). Brouille avec Lully, qui a obtenu du roi le privilège de tous les spectacles avec musique et ballets.

1673 — *Le Malade imaginaire* (10 février). A la quatrième représentation (17 février), Molière, pris en scène d'un malaise, est transporté chez lui, rue de Richelieu, et **meurt** presque aussitôt. N'ayant pas renié sa vie de comédien devant un prêtre, il n'avait, selon la tradition, pas le droit d'être enseveli en terre chrétienne : après intervention du roi auprès de l'archevêque, on l'enterre sans grande cérémonie à 9 heures du soir au cimetière Saint-Joseph.

Molière avait seize ans de moins que Corneille, neuf ans de moins que La Rochefoucauld, un an de moins que La Fontaine.
Il avait un an de plus que Pascal, quatre ans de plus que Mme de Sévigné, cinq ans de plus que Bossuet, quatorze ans de plus que Boileau, dix-sept ans de plus que Racine.

MOLIÈRE ET SON TEMPS

	vie et œuvre de Molière	le mouvement intellectuel et artistique	les événements politiques
1622	Baptême à Paris de J.-B. Poquelin (15 janvier).	Succès dramatiques d'Alarcon, de Tirso de Molina en Espagne.	Paix de Montpellier, mettant fin à la guerre de religion en Béarn.
1639	Quitte le collège de Clermont, où il a fait ses études.	Maynard : Odes. Tragi-comédies de Boisrobert et de Scudéry. Naissance de Racine.	La guerre contre l'Espagne et les Impériaux, commencée en 1635, se poursuit.
1642	Obtient sa licence en droit.	Corneille : la Mort de Pompée (décembre). Du Ryer : Esther.	Prise de Perpignan. Mort de Richelieu (4 décembre).
1643	Constitue la troupe de l'Illustre-Théâtre avec Madeleine Béjart.	Corneille : le Menteur. Ouverture des petites écoles de Port-Royal-des-Champs. Arrivée à Paris de Lully.	Mort de Louis XIII (14 mai). Victoire de Rocroi (19 mai). Défaite française en Aragon.
1645	Faillite de l'Illustre-Théâtre.	Rotrou : Saint Genest. Corneille : Théodore, vierge et martyre.	Victoire française de Nördlingen sur les Impériaux (3 août).
1646	Reprend place avec Madeleine Béjart dans une troupe protégée par le duc d'Épernon. Va en province.	Cyrano de Bergerac : le Pédant joué. Saint-Amant : Poésies.	Prise de Dunkerque.
1650	Prend la direction de la troupe, qui sera protégée à partir de 1653 par le prince de Conti.	Saint-Évremond : la comédie des Académistes. Mort de Descartes.	Troubles de la Fronde : victoire provisoire de Mazarin sur Condé et les princes.
1655	Représentation à Lyon de l'Étourdi.	Pascal se retire à Port-Royal-des-Champs (janvier). Racine entre à l'école des Granges de Port-Royal.	Négociations avec Cromwell pour obtenir l'alliance anglaise contre l'Espagne.
1658	Arrive à Paris avec sa troupe, qui devient la « troupe de Monsieur » et occupe la salle du Petit-Bourbon.	Dorimond : le Festin de pierre.	Victoire des Dunes sur les Espagnols. Mort d'Olivier Cromwell.
1659	Représentation triomphale des Précieuses ridicules.	Villiers : le Festin de pierre. Retour de Corneille au théâtre avec Œdipe.	Paix des Pyrénées : l'Espagne cède l'Artois et le Roussillon à la France.
1660	Sganarelle ou le Cocu imaginaire.	Quinault : Stratonice (tragédie). Bossuet prêche le carême aux Minimes.	Mariage de Louis XIV et de Marie-Thérèse. Restauration des Stuarts.
1661	S'installe au Palais-Royal. Dom Garcie de Navarre. L'École des maris. Les Fâcheux.	La Fontaine : Élégie aux nymphes de Vaux.	Mort de Mazarin (8 mars). Arrestation de Fouquet (5 septembre).

	Molière	Littérature	Histoire
1662	Se marie avec Armande Béjart. L'École des femmes.	Corneille : Sertorius. La Rochefoucauld : Mémoires. Mort de Pascal (19 août). Fondation de la manufacture des Gobelins.	Michel Le Tellier, Colbert et Hugues de Lionne deviennent ministres de Louis XIV.
1663	Querelle de l'École des femmes. La Critique de « l'École des femmes ».	Corneille : Sophonisbe. Racine : ode Sur la convalescence du Roi.	Invasion de l'Autriche par les Turcs.
1664	Le Mariage forcé. Interdiction du premier Tartuffe.	Racine : la Thébaïde ou les Frères ennemis.	Condamnation de Fouquet, après un procès de quatre ans.
1665	Dom Juan. L'Amour médecin.	La Fontaine : Contes et Nouvelles. Mort du peintre N. Poussin.	Peste de Londres.
1666	Le Misanthrope. Le Médecin malgré lui.	Boileau : Satires (I à VI). Furetière : le Roman bourgeois. Fondation de l'Académie des sciences.	Alliance franco-hollandaise contre l'Angleterre. Mort d'Anne d'Autriche. Incendie de Londres.
1667	Mélicerte. La Pastorale comique. Le Sicilien. Interdiction de la deuxième version du Tartuffe : l'Imposteur.	Corneille : Attila. Racine : Andromaque. Milton : le Paradis perdu. Naissance de Swift.	Conquête de la Flandre par les troupes françaises (guerre de Dévolution).
1668	Amphitryon. George Dandin. L'Avare.	La Fontaine : Fables (livres I à VI). Racine : les Plaideurs. Mort du peintre Mignard.	Fin de la guerre de Dévolution : traités de Saint-Germain et d'Aix-la-Chapelle. Annexion de la Flandre.
1669	Représentation du Tartuffe. Monsieur de Pourceaugnac.	Racine : Britannicus. Th. Corneille : la Mort d'Annibal. Bossuet : Oraison funèbre d'Henriette de France.	
1670	Les Amants magnifiques. Le Bourgeois gentilhomme.	Racine : Bérénice. Corneille : Tite et Bérénice. Édition des Pensées de Pascal. Mariotte découvre la loi des gaz.	Mort de Madame. Les États de Hollande nomment Guillaume d'Orange capitaine général.
1671	Psyché. Les Fourberies de Scapin. La Comtesse d'Escarbagnas.	Débuts de la correspondance de Mme de Sévigné avec Mme de Grignan.	Louis XIV prépare la guerre contre la Hollande.
1672	Les Femmes savantes. Mort de Madeleine Béjart.	Racine : Bajazet. Th. Corneille : Ariane. P. Corneille : Pulchérie.	Déclaration de guerre à la Hollande. Passage du Rhin (juin).
1673	Le Malade imaginaire. Mort de Molière (17 février).	Racine : Mithridate. Séjour de Leibniz à Paris. Premier grand opéra de Lully : Cadmus et Hermione.	Conquête de la Hollande. Prise de Maestricht (29 juin).

BIBLIOGRAPHIE SOMMAIRE

OUVRAGES GÉNÉRAUX SUR MOLIÈRE

Gustave Michaut — *la Jeunesse de Molière* (Paris, Hachette, 1922). — *Les Débuts de Molière à Paris* (Paris, Hachette, 1923). — *Les .Luttes de Molière* (Paris, Hachette, 1925).

Ramon Fernandez — *la Vie de Molière* (Paris, Gallimard, 1930).

Antoine Adam — *Histoire de la littérature française au XVII⁰ siècle*, tome III (Paris, Domat, 1952).

René Bray — *Molière, homme de théâtre* (Paris, Mercure de France, 1954 ; nouv. éd., 1963).

Alfred Simon — *Molière par lui-même* (Paris, Éd. du Seuil, 1957).

Maurice Descotes — *les Grands Rôles du théâtre de Molière* (Paris, P. U. F., 1960).

René Jasinski — *Molière* (Paris, Hatier, 1970).

Gérard Defaux — *Molière ou les Métamorphoses du comique* (French Forum, Lexington, diff. Klincksieck, 1980).

SUR « LES FEMMES SAVANTES »

Gustave Reynier — *les Femmes savantes* (Paris, Mellottée, 1937).

SUR LA LANGUE DE MOLIÈRE

Jean Dubois, René Lagane et Alain Lerond — *Dictionnaire du français classique* (Paris, Larousse, 1971).

Vaugelas — *Remarques sur la langue française* (Paris, Larousse, « Nouveaux Classiques », 1969).

LES FEMMES SAVANTES
1672

NOTICE

CE QUI SE PASSAIT EN 1671-1672

■ **EN POLITIQUE. A l'intérieur** : Louis XIV et sa Cour s'assemblent encore (fin 1671) au vieux château de Saint-Germain-en-Laye, mais ils vont bientôt se réunir au château de Versailles, dont les travaux se terminent. Les premières déclarations royales datées de Versailles sont de février 1672. — Déclin de la favorite Louise de La Vallière, supplantée par Mme de Montespan.

A l'extérieur : Négociations d'Arnauld de Pomponne pour préparer la guerre d'agression contre la Hollande, qui commencera au printemps 1672. — Difficultés diplomatiques avec la Turquie ; Leibniz vient à Paris et tâche de persuader Colbert d'entreprendre une croisade contre les musulmans.

■ **EN LITTÉRATURE. En France** : La Fontaine publie son troisième recueil de Contes. — Bossuet, élu à l'Académie française en 1671, publie l'Exposition de la foi catholique (janvier 1672). — P. Corneille donnera la même année Pulchérie, comédie héroïque, tandis que son frère Thomas remportera un très gros succès avec Ariane. — Quinault commence en 1672 la série de ses opéras, dont la musique sera composée par Lully.

A l'étranger : En Angleterre, Milton publie (1671) le Paradis recouvré. Dryden compose The Conquest of Granada. — En Allemagne, Pufendorf publie son traité De jure naturae et gentium.

■ **DANS LES ARTS.** Le peintre Lebrun décore Versailles et le château de Colbert à Sceaux. — Cl. Perrault achève l'Observatoire. — Fondation, en 1671, de l'Académie d'architecture.

■ **DANS LES SCIENCES.** Cassini, qui vient de découvrir le second satellite de Jupiter, s'installe à l'Observatoire pour y continuer ses travaux. — Mission scientifique envoyée à Cayenne pour étudier l'aplatissement de la Terre. — En Angleterre, Newton fabrique en 1671 le télescope qui porte son nom ; en 1672, il est membre de la « Société royale ».

REPRÉSENTATION DE LA PIÈCE.

Les Femmes savantes tinrent seules l'affiche au Palais-Royal du vendredi 11 mars 1672 jusqu'à la clôture de Pâques, le 5 avril. Deux jours avant la représentation, La Grange, « orateur » de la troupe, avait prononcé devant le public une petite harangue pour mettre les spectateurs en garde contre les applications qu'on pourrait faire de la comédie. C'était peut-être pour mieux attirer la curiosité.

Molière joua le rôle du riche bourgeois Chrysale[1]. Sa femme, Armande Béjart, jouait le rôle d'Henriette, Mlle de Brie celui d'Armande. Quant à Philaminte, une tradition veut que son personnage ait été créé par un homme[2], soit pour accentuer le côté viril du personnage, soit parce qu'aucune actrice ne recherchait l'emploi, Philaminte étant classée à l'époque parmi les rôles de « vieilles ». Baron, La Grange, La Thorillière, Du Croisy, Geneviève Béjart et peut-être une servante de Molière tenaient respectivement les rôles d'Ariste, Clitandre, Trissotin, Vadius, Bélise et Martine.

ACCUEIL DU PUBLIC ET DESTINÉE DE LA PIÈCE

Le succès fut d'abord honorable. Le lendemain de la première représentation (12 mars 1672), Donneau de Visé publie un article dans *le Mercure galant*, où il écrit : « Il y a partout mille traits pleins d'esprit, beaucoup d'expressions heureuses et beaucoup de manières de parler nouvelles et hardies, dont l'invention ne peut être assez louée, et qui ne peuvent être imitées. [...] Pour bien juger du mérite de la comédie dont je viens de parler, je conseillerais à tout le monde de la voir et de s'y divertir, sans examiner autre chose et sans s'arrêter à la critique des gens qui croient qu'il est d'un bel esprit de trouver à redire. »

Sans atteindre les 2 860 livres de la première représentation du *Tartuffe*, la première représentation rapporta 1 735 livres. Peu à peu cependant, ce succès commença à s'épuiser. A la onzième représentation, la recette n'était plus que de 593 livres. Huit représentations furent données après Pâques, mais progressivement les bénéfices baissèrent. Au milieu de mai, ils tombèrent à 268 livres 10 sous. Après avoir donné en tout 19 représentations au Palais-Royal, auxquelles il faut ajouter une représentation à Saint-Cloud (11 août) et une autre à Versailles (17 septembre), Molière retira la comédie.

A ce demi-échec on a donné diverses raisons. D'abord, de graves événements se préparaient en mars 1672 : la guerre avec la Hol-

---

1. « Avec justaucorps et haut-de-chausses de velours noir et ramage à fond aurore, veste de gaze violette et or, cordon d'or, jarretières, aiguillettes et gants. » ; 2. L'acteur Hubert, qui aurait déjà tenu, quelques mois auparavant (décembre 1671), le rôle de la comtesse d'Escarbagnas.

lande était imminente ; elle allait être déclarée le 6 avril, et Louis XIV devait entrer en campagne au mois de mai. La correspondance de Mme de Sévigné révèle qu'à cette date les esprits étaient préoccupés par la situation politique. De plus, l'aspect satirique ne pouvait intéresser qu'une partie assez limitée de spectateurs. En troisième lieu — et Voltaire le remarquera —, Molière y « attaquait un ridicule qui ne semble propre à réjouir ni le peuple ni la Cour, à qui ce ridicule paraissait également étranger »[1]. « Enfin, comme l'écrit La Harpe dans Molière et la comédie, on fut d'abord si prévenu contre la sécheresse du sujet, et si persuadé que l'auteur avait tort de s'obstiner à en tirer une pièce en cinq actes, que cette prévention, qui aurait dû ajouter à la surprise et à l'admiration, s'y refusa d'abord, et balança le plaisir que faisait l'ouvrage et le succès qu'il devait avoir. »

On verra de même reparaître des réserves après la publication de la pièce dès le début de 1673. Le P. Rapin[2] se déclare dans l'ensemble satisfait, mais Bussy-Rabutin, dans une réponse qu'il lui adresse le 11 avril 1673, déclare, après avoir lu la comédie dans la lointaine province où il est en exil[3] : « Comme vous remarquez fort bien il y avait d'autres ridicules à donner à ces savantes, plus naturels que ceux que Molière leur a donnés. Le personnage de Bélise est une faible copie d'une des femmes de la comédie des Visionnaires[4] ; il y en a d'assez folles pour croire que tout le monde est amoureux d'elles, mais il n'y en a point qui entreprennent de le persuader à leurs amants malgré eux. Le caractère de Philaminte avec Martine n'est pas naturel. Il n'est pas vraisemblable qu'une femme fasse tant de bruit et enfin chasse sa servante parce qu'elle ne parle pas bien français ; et il l'est moins encore que cette servante, après avoir dit mille méchants mots, comme elle doit dire, en dise de fort bons et extraordinaires comme quand Martine dit :

> L'esprit n'est point du tout ce qu'il faut en ménage ;
> Les livres quadrent mal avec le mariage[5].

Il n'y a pas de jugement à faire dire le mot « quadrer » par une servante, qui parle fort mal, quoiqu'elle puisse avoir du bon sens. »

Quelques-uns de ces reproches sont sans doute fondés, encore qu'on puisse répondre à Bussy-Rabutin, pour la défense de Molière, qu'un auteur comique est obligé de grossir les traits et d'accentuer le ridicule.

---

1. Huygens écrit, le 1er avril 1672 : « Sa dernière comédie a été les Femmes savantes, ou Trissotin, comme on la nommait auparavant à la représentation. On l'a trouvée fort plaisante, mais un peu trop savante » ; 2. Le P. Rapin (1621-1687) était un jésuite érudit dont le jugement était fort écouté dans toutes les questions relatives au théâtre : il a écrit des Réflexions sur la poétique d'Aristote ; 3. En Bourgogne, à Chasseu, où Bussy séjournait fréquemment ; 4. Comédie de Desmarets de Saint-Sorlin (1637) [voir page 17, note 2] ; 5. Voir vers 1665-1666. Nous avons, dans le texte, modernisé l'orthographe de ce verbe quadrer (cadrer).

On voit pourtant, par ces réserves, que les contemporains n'ont jamais discuté en elle-même la thèse de l'ouvrage. Ils semblent avoir été surtout sensibles au comique, et la meilleure preuve, c'est que la pièce était volontiers désignée du nom de *Trissotin*. Hostile au pédantisme, même à l'époque de la préciosité, le public ne pouvait qu'approuver Molière. De plus, du point de vue littéraire, on reconnut à peu près généralement qu'elle méritait d'être rangée à côté de ses meilleurs ouvrages.

C'est seulement au XVIIIe siècle que la thèse soutenue dans la comédie commença à soulever de la part des philosophes les plus sérieuses objections. A part Diderot, qui admire sans réserve, Voltaire[1] et d'Alembert protestent contre les dangers d'une attitude qui ridiculise l'émancipation intellectuelle des femmes et risque de perpétuer des préjugés que le « siècle des lumières » prétend injustes et contredits par la place éminente que les dames occupent dans les salons philosophiques. Il est possible que la défaveur dont est alors victime la pièce de Molière explique le petit nombre de représentations au cours de tout le siècle, 353, dont 11 seulement entre 1741 et 1750. C'est pourtant à cette époque que la pièce se répandit en Europe et fut traduite en plusieurs langues, y compris le polonais et le hongrois ; mais cette diffusion n'est pas particulière aux *Femmes savantes* : elle s'étend à tous les chefs-d'œuvre du XVIIe siècle.

Le XIXe siècle fut beaucoup plus indulgent. La pièce fut représentée 743 fois, deux fois plus qu'au siècle précédent. On fit encore[2] et on fait encore aujourd'hui[3] bien des réserves sur le fond de la pièce, en un siècle où irrésistiblement s'est développée l'instruction des femmes, en même temps qu'en apparaissait la nécessité morale et sociale, mais la pièce est restée au répertoire, et l'opinion commune, sinon celle des spécialistes, la considère comme une des meilleures comédies de Molière : de 1680 à 1967, *les Femmes savantes* ont eu à la Comédie-Française 1720 représentations.

ANALYSE DE LA PIÈCE

(Les scènes principales sont indiquées entre parenthèses.)

■ *ACTE PREMIER.* **Armande contre Henriette.**

Armande, entichée de « philosophie », reproche à Henriette, sa jeune sœur, de vouloir se marier et surtout d'épouser Clitandre, qui lui a naguère fait la cour en vain. Henriette confirme ses intentions **(scène première)**. Clitandre survient pour dire son fait à Armande : il s'efforcera, en dépit d'Armande, d'obtenir la main d'Henriette, et il essaie d'avoir l'appui de Bélise, tante d'Henriette **(scène III)**.

---

1. Dédicace d'*Alzire* à Mme du Châtelet ; **2.** Ernest Renan : *Journal des débats*, 1854. Sainte-Beuve : *Causeries du lundi* (IX) ; **3.** Antoine Adam : *Histoire de la littérature française au XVIIe siècle*, tome III, p. 388 et suivantes.

■ *ACTE II.* **Philaminte contre Chrysale.**

Ariste, oncle des deux jeunes filles, a assuré Clitandre de son soutien, et il convainc Chrysale, père d'Henriette, d'accepter le jeune homme pour gendre. Mais encore faut-il le consentement de Philaminte, épouse de Chrysale. Ce sera plus difficile, car elle est autoritaire, passionnée elle aussi de philosophie, et surtout entichée d'un bel esprit, M. Trissotin, qui a toute son estime. Elle survient furieuse et chasse Martine, sa servante, qui vient de commettre une faute de grammaire (**scène VI**). Chrysale s'incline après s'être d'abord indigné, renonce à imposer sa décision, et Philaminte annonce qu'Henriette épousera Trissotin (**scènes VII-VIII**).

■ *ACTE III.* **Trissotin contre Vadius.**

Dans le salon de Philaminte, Trissotin vient réciter des vers ridicules qui émerveillent les femmes savantes. Un autre pédant, Vadius, se présente. Congratulations, puis injures (**scènes II-III**).

■ *ACTE IV.* **Clitandre contre Trissotin.**

Clitandre et Trissotin ont une explication orageuse (**scène III**). Vadius, vexé d'avoir été malmené par Trissotin, le dénonce à Philaminte comme un coureur de dot, sans la convaincre. Chrysale une fois de plus promet son appui.

■ *ACTE V.* **Déroute de Trissotin.**

Henriette veut obtenir de Trissotin qu'il renonce à l'épouser, mais Trissotin refuse (**scène première**). Le notaire arrive pour le contrat. Philaminte et Chrysale semblent rester sur leur position, mais Ariste annonce la ruine de Chrysale et de Philaminte. Trissotin se retire sans comprendre que ce n'était qu'un stratagème. Henriette et Clitandre s'épousent, et tout finit bien.

PRÉPARATION DE LA PIÈCE

L'idée de composer *les Femmes savantes* était venue à l'esprit de Molière dès 1668, puisque dès le lendemain de *l'Avare* il annonçait, d'après Donneau de Visé, une comédie « tout à fait achevée », c'est-à-dire une comédie en vers et plus soignée dans le détail que de simples divertissements pour les fêtes royales, comme ceux qu'il allait donner entre 1668 et 1672. Molière a donc eu plusieurs années pour méditer son ouvrage. La pièce était déjà prête au début de 1671, puisqu'il a fait enregistrer le privilège dès le 13 mars 1671, la représentation ne devant avoir lieu qu'un an plus tard. Quels sont donc les faits qui peuvent expliquer son dessein et pourquoi ce dessein a-t-il pris corps à cette date ?

« Toute son œuvre, écrit Antoine Adam, depuis *l'Ecole des femmes*, exaltait l'idée de liberté, prêchait l'émancipation, affirmait

que la nature est bonne et qu'il suffit à l'homme de ne pas la contra-
rier pour qu'elle produise des fruits exquis. »

Or, une opposition flagrante s'impose au premier abord entre
la thèse soutenue dans *l'Ecole des femmes* et celle qu'illustrent *les
Femmes savantes*. Dans la comédie de 1662, Molière montre le
danger et le ridicule qu'il y a à laisser dans l'ignorance une jeune
fille comme Agnès ; dans celle de 1672, il condamne les prétentions
scientifiques des femmes, nuisibles, selon lui, à la fois à leur équilibre et au bonheur de leur entourage. Comment expliquer l'évolution ? Certes, comme le remarque D. Mornet, sur le problème de
l'instruction féminine, comme sur tant d'autres, « il y a des oppositions brutales quand on essaie de discerner le sens profond, les
intentions cachées de ses comédies » ; on est tenté, pour justifier
ces oppositions, de voir en Molière soit un sceptique qui répond
tantôt oui, tantôt non aux problèmes qu'il examine — c'est la thèse
de D. Mornet —, soit un partisan du « juste milieu », qui condamne
tous les excès, aussi bien ceux de l'ignorance que ceux de la curiosité intellectuelle — c'est la thèse de Sainte-Beuve. Mais le problème
demeure : pourquoi condamner ce qu'il aurait approuvé dix ans
plus tôt ?

En fait, le dessein d'écrire *les Femmes savantes* semble être venu
à l'esprit de Molière à partir du moment où, dénombrant ses
adversaires, il a constaté que les plus violentes critiques adressées
à *l'Ecole des femmes* venaient des sociétés mondaines, dont les raffi-
nements et les scrupules s'accommodaient mal de son langage et de
sa confiance dans la nature. Or, par malheur — comme le remarque
G. Reynier —, c'est « dans ces compagnies hostiles à sa personne
et aux tendances de son art » que se trouvaient les femmes le plus
portées vers l'étude. Le mouvement qui irrésistiblement entraînait les
femmes vers les sphères intellectuelles prenait, à l'époque de *l'Ecole
des femmes*, une ampleur qui n'allait pas se ralentir, bien au
contraire[1]. Les femmes, de plus en plus nombreuses, qui essayaient
de s'initier à la culture intellectuelle n'étaient ni des sottes ni des
pédantes, et l'hostilité générale du XVIIᵉ siècle au pédantisme aurait
pu, à elle seule, maintenir certaines d'entre elles dans la discrétion
que Clitandre admire chez une femme, sans que Molière eût besoin
de brandir les foudres de la satire. En condamnant le pédantisme,
Molière ne faisait donc qu'exprimer l'opinion courante, celle des
« femmes savantes » elles-mêmes, et s'assurer par là même l'approbation du public. Ce qu'il a voulu ridiculiser, ce sont certaines
coteries où se recrutaient ses ennemis, et il leur a prêté, le plus

---

1. Les femmes assistaient en grand nombre aux conférences académiques
du sieur de Richesource et de Louis de Lescache, qui, dans sa maison de la
rue Guénégaud, leur dispensa de solides connaissances durant trente-quatre
ans. En 1666, des conférences scientifiques suivies par des dames furent faites
par Fontenay, Jacques Rohault et Nicolas Lemery.

souvent à tort, une attitude d'esprit qui n'était vraie qu'en partie. Les grandes dames, dont J. de La Forge ou Marguerite Buffet citent les noms avec admiration en 1663 ou 1668, étaient sans doute des « femmes savantes » ou aspiraient à le devenir, mais elles n'étaient pas des pédantes ou du moins elles s'efforçaient — ne serait-ce que par bienséance — de ne pas le paraître. On voit donc comment a procédé Molière : non seulement il a situé sa comédie dans un milieu bourgeois — ce qui pouvait dérouter les amateurs de clefs ou d'allusions —, mais encore il a prêté à ses personnages des occupations qui étaient celles de ses adversaires et des défauts qui n'étaient pas les leurs.

Or, ce dessein, formé dès 1663, n'est venu se préciser, nous l'avons dit, qu'en 1668. C'est que dans l'intervalle s'est produit un événement dont on dirait aujourd'hui qu'il a été l'étincelle ou l' « événement de choc » mettant le feu aux poudres : la querelle entre Boileau et Cotin, sur laquelle se greffe, à cette date, une querelle entre Molière et Cotin, par la faute même de ce dernier. M. Antoine Adam a rapporté les faits : l'abbé Cotin, né en 1604, avait un caractère détestable, mais beaucoup plus de talent qu'on ne croit. Ennemi des précieux, admirateur des Anciens, ayant même pressenti que la poésie doit découvrir des correspondances mystérieuses, il était en fait infidèle aux exigences de sa pensée et assoiffé de mondanités. Il eut surtout le tort de prendre parti contre les *Satires* de Boileau, qui avaient fait scandale dans les milieux littéraires les plus empressés au service de la Cour. En 1666, il rédigea contre Boileau le *Discours satyrique au cynique Boileau* et surtout, non la *Satire des satires* comme on l'a dit, mais *la Critique désintéressée*. Dans ce libelle, il appelait Boileau M. de Vipéreaux et lui reprochait d'avoir insulté aux hiérarchies civiles et religieuses. Dix mois plus tard, Boileau répondit par la *Satire à mon esprit* (Satire XII). Malheureusement, dans *la Critique désintéressée*, Cotin avait aussi malmené les hommes de théâtre. A un ami venu lui faire part d'un projet formé par les comédiens de le jouer en farce, il avait répondu d'un air méprisant : « Je leur abandonne ma réputation pourvu qu'ils ne m'obligent point à voir leurs farces. Que peut-on répondre à des gens qui sont déclarés infâmes par les lois, même des païens ! Que peut-on écrire contre ceux à qui l'on ne peut rien dire de pis que leur nom ? » C'était en même temps se retrancher derrière le parti alors tout-puissant des adversaires du théâtre, en faisant cause commune avec eux. Se sentant visé, Molière décida de riposter. C'était l'occasion qui « cristallisait » son projet de réponse aux coteries de ses adversaires, d'autant plus que Cotin était de ceux qui, plus ou moins sournoisement, s'étaient déclarés contre lui dans les salons qu'il fréquentait et auprès des dames « savantes » aux yeux desquelles il avait voulu briller. La riposte de Molière fut terrible. Il fit de l'abbé Cotin, alors âgé de soixante-huit ans, un jeune coureur de dot non seulement vaniteux, mais odieux. Ce faisant, il portait à son ennemi un coup mortel, mais il avait certainement la conviction que ce coup était mérité[1].

Pour dissiper toute équivoque, malgré l'ingénieuse trouvaille qui substituait au nom primitif Tricotin le nom de Trissotin (c'est-à-dire trois fois sot), Molière cita deux œuvres authentiques de sa « tête de Turc », encore que celui-ci ne les ait écrites, de son propre aveu, que par plaisanterie et comme exemples d'œuvres froides à ne pas imiter. De plus, Molière eut l'idée de l'opposer à Vadius, en qui les contemporains crurent retrouver le poète érudit Gilles Ménage, véritable savant, capable de composer des vers français, italiens, grecs et latins. Molière n'avait aucune raison particulière de lui en vouloir, mais il pensa que le contraste serait frappant entre ce pédant un peu lourd et la vanité plus habile de Trissotin. C'était d'autant plus plaisant — et beaucoup le savaient — qu'il y avait eu effectivement une querelle retentissante entre Ménage et Cotin, au point que celui-ci avait composé contre son adversaire un pamphlet intitulé *la Ménagerie*. La dispute entre Vadius et Trissotin trouverait ainsi son point de départ dans la réalité : elle aurait le double mérite d'être à la fois amusante et vraie.

Molière était prêt à « lancer » sa comédie, mais les « divertissements royaux », dont il était, pour ainsi dire, l'intendant, en retardèrent encore la présentation. Le sujet du « pédantisme » lui tenait pourtant à cœur, puisqu'il donna, le 2 décembre 1671 à Saint-Germain, une comédie sans prétention, *la Comtesse d'Escarbagnas*. On y voyait traité sur le mode mineur le thème des *Femmes savantes*, puisque la comtesse est une sorte de « snobinette provinciale » qui veut tenir dans sa maison un salon intellectuel. La pièce est plaisante, mais tout n'y est qu'esquissé : elle a surtout le mérite d'être un prélude.

LES SOURCES DES « FEMMES SAVANTES »

Les œuvres dont Molière a pu s'inspirer ont souvent été citées, et l'on sait que Molière ne s'est jamais fait faute, comme tous les classiques, de puiser chez ses devanciers des idées, des traits de caractère, des situations, et même des expressions qu'il allait reprendre à sa manière, suivant une conception esthétique qui attache plus de prix à un renouvellement qu'à une création totale[2], considérée, sans doute avec raison, comme une tâche plus aisée. Molière a pu,

---

1. Donneau de Visé rapporte dans *le Mercure galant*, au lendemain des *Femmes savantes*, qu'il y avait eu à l'origine de la comédie une « querelle de l'auteur, il y a environ huit ans, avec un homme de lettres qu'on prétend être représenté par M. Trissotin ». La scène se serait donc passée vers 1663. Elle explique les attaques de Cotin, la patience de Molière et son explosion quand Cotin récidiva en 1667 ; 2. En attaquant le pédantisme, Molière suivait une tradition : celle de Juvénal, de Martial, de Montaigne, de Guez de Balzac, et même, plus près de lui, de Mlle de Scudéry (portrait de Damophile dans *le Grand Cyrus*).

par exemple, découvrir dans la comédie des *Académistes* de Saint-Evremond (1650) l'idée d'une dispute entre deux savants[1] et dans *le Roman bourgeois* de Furetière le trait du « gros Plutarque à mettre des rabats », qu'un bon bourgeois demande à son libraire et que Molière prêtera à son Chrysale. Mais parmi toutes les sources possibles, deux sont particulièrement à retenir.

Desmarets de Saint-Sorlin[2] avait écrit en 1637 une comédie, *les Visionnaires*, dont Molière s'est certainement souvenu. On y entend les propos extravagants des trois filles d'Alcidon, dont chacune a son grain de folie. L'une, Mélisse, est amoureuse, d'un amour sans espoir, d'Alexandre le Grand ; l'autre, Sesiane, passionnée de théâtre, transpose tous les incidents de sa vie en situations dramatiques ; mais la plus extravagante des trois s'appelle Hespérie ; or, comme la Bélise de Molière, elle se persuade que tous les hommes sont amoureux d'elle :

> En sortant du logis je ne puis faire un pas
> Que mes yeux aussitôt ne causent un trépas.

Plus encore, elle ne peut admettre qu'une autre femme qu'elle puisse inspirer de l'amour. C'est ce que fait Bélise (acte premier, scène IV). Le rapport entre Bélise et Hespérie est d'ailleurs souligné par Molière lui-même aux vers 213 et 325, où, par deux fois, le mot *visions* résonne comme un hommage à Desmarets de Saint-Sorlin, encore que Molière ait fait de Bélise un personnage beaucoup moins caricatural que la grotesque Hespérie.

Il a sans doute aussi emprunté à *l'Académie des femmes* de Chappuzeau (1661) l'idée d'un ménage où la pédante Emilie s'oppose non seulement à ses domestiques, mais aussi à son mari. Lassé de ses criailleries, celui-ci la quitte, et un certain Hortense, la croyant veuve, songe un instant à l'épouser, mais, rebuté par l'humeur de la pédante, il s'en réjouit et conclut :

> Une bonne quenouille en la main d'une femme
> Lui sied bien et la met à couvert de tout blâme ;
> Son ménage fleurit, la règle va partout
> Et de ses serviteurs elle vient mieux à bout.
> Mais un livre, bon Dieu! qu'en prétend-elle faire?

Chrysale en dira autant. Cependant Molière a eu l'heureuse idée de peindre aussi avec vie l'atmosphère conjugale où se débat son

---

1. Voir la Documentation thématique ; **2.** *Desmarets de Saint-Sorlin* (1595-1676) connut auprès du public du XVIIe siècle la plus grande faveur. Protégé par Richelieu, il fit partie du premier groupe des académiciens et travailla pour le compte du cardinal, qui le combla d'honneurs. Il n'a pas seulement écrit des œuvres dramatiques, mais aussi un poème épique consacré à *Clovis*, en vingt-six chants, et un traité où il comparait les Anciens et les Modernes (1670). Il se signala par son opposition violente au jansénisme. D'ailleurs, la comédie des *Visionnaires* est surtout célèbre dans l'histoire littéraire parce qu'elle provoqua une riposte assez vive du janséniste Nicole. Celui-ci y proclamait l'immoralité du théâtre ; il traitait les auteurs dramatiques d'« empoisonneurs, non des corps, mais des âmes des fidèles ».

personnage. Chrysale est en effet partagé entre la crainte et le désir d'imposer sa volonté. Molière a ainsi superposé à un simple comique de situation un comique de caractère et donné à un type d'homme un relief comique d'une vérité permanente. Par surcroît, il a, en composant son personnage, fait appel sinon à ses convictions — car Chrysale est ridicule —, au moins à ses souvenirs de lectures philosophiques. Il avait dans sa bibliothèque, avec les *Essais* de Montaigne, les ouvrages de La Mothe Le Vayer, et il était l'ami de son fils. Or, La Mothe Le Vayer avait, dans ses *Promenades en neuf dialogues* de 1663, cité des gens qui, comme Chrysale, trouvent une femme assez savante quand elle sait bien discerner le haut-de-chausses du pourpoint de son mari. Chrysale est « gassendiste », comme Philaminte est « cartésienne », à une époque où les grandes dames, comme Mme de Grignan, se piquaient de plus en plus de l'être[1]. Sur ce point, il faut chercher les sources de Molière dans le courant même des idées de son temps et la réalité humaine qui l'entourait.

LES DIVERS ASPECTS DE LA PIÈCE

La comédie de mœurs.

Par rapport à ses devanciers ou à ses contemporains, le mérite de Molière est d'avoir été chercher le comique dans la réalité de la vie quotidienne. D. Mornet a bien noté comment l'atmosphère générale du salon de Philaminte est fort différente de celle qui revit dans celui de Célimène. Ici on pratique les « bons usages », on a horreur du pédantisme, et là tout est déformé par la vanité, tout n'y est que parodie. On y emploie de grands mots, mais on les comprend mal et l'on n'y sait pas médire avec art.

Nous sommes sans doute chez de grands bourgeois. Le train qu'on mène dans la maison en fait foi : Martine, venue de sa Picardie, et Lépine ne sont pas les seuls domestiques, puisque Chrysale s'écrie (vers 599-602) :

> L'un me brûle mon rôt en lisant quelque histoire,
> L'autre rêve à des vers quand je demande à boire;
> Enfin je vois par eux votre exemple suivi,
> Et j'ai des serviteurs et ne suis point servi.

Ce qui laisse entendre que, Martine exceptée, d'autres domestiques s'appliquent à « singer », pour garder leur place, les sottes manières des femmes savantes.

Mais, dans ce milieu de haute bourgeoisie parisienne, au XVIIe siècle, la grande affaire est de jouer aux grands seigneurs, et si Philaminte, pourtant intelligente, admire les vers ridicules

---

1. Mme Deshoulières est gassendiste, mais Mme de Bonnevant, Mme d'Outresale, Mme d'Hommecour, Mlle de La Vigne et surtout Mlle Dupré sont cartésiennes.

de Trissotin et se réjouit de la présence d'un helléniste dans son salon, c'est en partie parce que les vers de l'un ont passé « chez une princesse » pour avoir quelque délicatesse[1] et parce que l'autre est un « oiseau rare » dont la visite flatte sa vanité.

Ajoutons qu'à l'arrière-plan sont évoqués les écrivains mondains qui hantent « le palais, le cours, les ruelles, les tables » (vers 957) à l'affût des « encens » ; Molière, par la bouche de Clitandre, leur reproche les propos malveillants qu'ils tiennent dans les salons sur la Cour (vers 1339-1340) et les injustes plaintes qu'ils répandent, quand ils n'obtiennent pas les pensions, dont ils ne sont d'ailleurs pas dignes (vers 1359-1360).

Ce faisant, Molière s'assurait la sympathie de ceux à qui il avait toujours prétendu s'adresser : le parterre, trop heureux de voir railler le pédantisme — ce travers qu'on n'aime guère en France —, et la Cour, flattée qu'on prît sa défense en attaquant les habitués des salons et des ruelles qui la dénigraient.

La comédie d'intrigue.

On a trop souvent dit que le mérite de Molière avait été de substituer à la comédie d'intrigue la comédie de caractères. Il est certain que Molière a recours dans *les Femmes savantes* à une intrigue qu'il a souvent utilisée : l'éternelle histoire de deux amants que le caprice ou l'égoïsme d'un père ou d'une mère veulent séparer et qui ne peuvent s'épouser, à la fin de la pièce, que par quelque artifice — telle est en effet l'intrigue de la comédie. Mais ce qu'il faut surtout remarquer, ce sont les variations que Molière a brodées sur ce thème, le renouvelant sans cesse. Cette fois, il n'y a plus seulement dans la maison deux camps opposés et un intrus qui par intérêt veut obtenir, comme dans *le Tartuffe,* la main d'une jeune fille ; il y a également cette mésentente entre deux sœurs, Henriette et Armande, qui sont toutes deux à marier. Elles ne s'entendent guère mieux que leurs parents et prolongent ainsi dans une seconde génération le désaccord qui dressait déjà l'un contre l'autre leur mère autoritaire et leur père sans énergie. L'aînée, Armande, a écarté d'elle par sa froideur un gentilhomme, Clitandre, qui voulait l'épouser, mais celui-ci, fort raisonnable, s'est aperçu que la cadette, Henriette, était beaucoup plus digne qu'Armande de devenir sa femme. Furieuse, l'aînée veut se venger ; par dépit, elle s'efforcera donc d'empêcher un mariage qui vexerait sa vanité et déchirerait peut-être son cœur. Plus encore, forte de l'appui de sa mère, comme elle savante et orgueilleuse, et assurée de triompher — car Henriette ne peut guère compter sur la bienveillance efficace de son père —, elle médite de faire imposer à sa sœur, devenue sa rivale, un mariage qui lui déplaise et oblige celle-ci à rompre avec Clitandre.

---

1. Vers 751.

C'est seulement grâce à l'intervention d'Ariste, frère de Chrysale et « honnête homme » de la pièce, que tout s'arrangera. Celui-ci imaginera de faire croire à tous que Chrysale et sa femme sont ruinés. L'intrus, Trissotin, peu soucieux d'épouser une jeune fille sans argent, s'éclipsera, et Henriette pourra enfin épouser celui qu'elle aime.

Tel est le drame bourgeois qui constitue le fond, d'ailleurs assez amer, de la comédie.

LA MARCHE DE L'ACTION

Molière sait qu'il n'y a pas de théâtre possible sans *conflit* ni *progression*, et il a veillé non seulement à varier toutes les occasions où se dressent face à face les deux camps opposés, mais encore à rendre la situation de plus en plus inquiétante pour le sort des deux amants.

a) On voit successivement s'expliquer assez vivement Armande et Henriette (acte premier, scène première), Chrysale et Philaminte (acte II, scène VI), Chrysale et Armande (acte III, scène VI), Clitandre et Trissotin (acte IV, scène III), Henriette et Trissotin (acte V, scène première) ; autant de confrontations qui, sur des plans différents et à des moments bien choisis, varient les circonstances où s'affrontent le parti du bon sens et celui de l'extravagance, de l'égoisme ou de la sottise. Certaines de ces scènes engagent l'action (acte premier, scène première), ou la compliquent (acte premier, scène IV), ou l'exaspèrent (acte IV, scène III), et Molière a l'art, comme Racine, de retarder les entrevues attendues du spectateur, comme ces deux grandes scènes de l'acte IV et de l'acte V où nous voyons enfin face à face d'abord les deux rivaux (acte IV, scène III), puis Henriette et Trissotin (acte V, scène première). Trissotin s'y révèle alors tel qu'il est, mettant bas le masque, et s'y montrant, après avoir été si ridicule, tout simplement odieux.

b) Derrière cette variété, l'action continue cependant sa marche inéluctable. D'heure en heure, la situation s'envenime : Armande, humiliée et vexée, est décidée à se venger d'Henriette et de Clitandre dès l'acte premier, et les deux amants ne peuvent guère compter que sur l'appui de Chrysale et d'Ariste. Chrysale promet bien d'être énergique (vers 411-412), mais c'est feu de paille, et, mis à l'épreuve (acte II, scène VII), il oublie vite devant sa femme les propos fanfarons qu'il a tenus devant son frère. Va-t-il se montrer un homme « à la barbe des gens » ? Nous l'espérons sans y compter (vers 710). A la fin de l'acte III, la situation se précise. Philaminte fait officiellement part à Henriette de sa décision (vers 1074). Armande exulte (vers 1092), mais Chrysale la fait taire (vers 1109). On sent fort bien que, harcelé, Chrysale s'échauffe, et c'est sur cette espérance que se termine l'acte III. Armande, en présence de sa mère, déclare à Clitandre — ultime tentative qui en coûte beaucoup à son orgueil — qu'elle est prête à céder et à l'épouser (acte IV, scène II). Mais avec hauteur Clitandre refuse. Il dresse contre lui Philaminte en attaquant Trissotin (vers 1250-1251). Désormais tout se dessine, la lutte va être chaude. Qui va l'emporter ? Faut-il compter sur Chrysale, qui, une fois de plus, promet à Clitandre son appui (vers 1441) ? Malgré qu'elle en ait, Henriette de son côté essaye en vain de dissuader Trissotin de son dessein (acte V, scène première). C'est pourquoi, quand le notaire arrive, mandé par Philaminte, pour célébrer le mariage (vers 1437), chacun des deux époux veut lui faire inscrire sur le contrat le nom de son prétendant favori (vers 1625-1626). La situation serait sans issue si Ariste ne survenait pour amener un dénouement qui, selon la formule classique, a été retardé jusqu'à la dernière minute.

LA POLÉMIQUE

Une comparaison s'impose : celle des *Précieuses ridicules* et des *Femmes savantes*. A treize ans d'intervalle, Molière *semble* reprendre un thème qui lui est cher. Nous trouvons dans les deux comédies les mêmes attaques contre l'affectation dans les manières et les prétentions exagérées du pédantisme. Molière évoque dans les deux cas un intérieur bourgeois troublé par des ambitions « féministes ». Certains personnages semblent être dans *les Précieuses ridicules* la première esquisse de ceux qui nous seront présentés dans *les Femmes savantes* : Gorgibus annonce Chrysale, comme Mascarille et Jodelet annoncent Trissotin ou Vadius. Philaminte, Armande et Bélise seront ridicules comme l'étaient déjà Cathos et Magdelon. La récitation poétique de Mascarille se situe au centre de la pièce et suscite le même enthousiasme délirant que celle de Trissotin.

Mais alors que la première comédie, en un acte et en prose, n'était qu'une farce sans grande portée, la seconde dénonce un véritable « fléau » qui désorganise une famille et met en péril le bonheur d'un jeune couple. Les personnages y sont plus variés, plus nuancés, parfois plus odieux. Molière a tout approfondi et, quoique toujours soucieux de faire rire, il donne aux *Femmes savantes* un arrière-plan assez amer, du moins à la réflexion. Il y aborde maints problèmes qui le passionnent, celui de l'éducation des femmes et de leur rôle dans leur foyer, celui des rapports entre mari et femme, celui des lectures dangereuses qui peuvent troubler l'imagination et peut-être le cœur. On sent que les colères de Molière contre ses adversaires se sont accumulées depuis son retour à Paris en 1658, et si ses attaques, nous le verrons, ne sont pas toujours justes ni même parfaitement claires, elles sont en 1672 beaucoup plus mordantes. Comment ne le seraient-elles pas puisque, par surcroît, ses adversaires admirent le personnage avec qui il a un compte à régler sur la scène ? Ce personnage, Molière le fera attendre durant deux actes en utilisant un procédé qui a déjà fait ses preuves dans *le Tartuffe*. C'est vers lui que convergeront tous les regards des spectateurs enfin satisfaits. Le ridicule de ses admiratrices rejaillira sur leur idole, et celui de cette idole contribuera à rendre ses admiratrices encore plus ridicules.

THÈSE ET PORTÉE DE LA COMÉDIE

A part Bélise, un peu plus âgée que sa belle-sœur Philaminte, et par là même restée fidèle aux goûts et surtout aux lectures romanesques (vers 293) de sa génération, ni Philaminte ni Armande ne sont exactement des précieuses, au sens où l'on entendait ce mot vers 1650. Elles parlent sans doute par moments le jargon précieux (abus des adverbes) et attachent aux questions de langue et de grammaire une importance qu'on leur avait déjà donnée dans les salons précieux de la « belle époque », où l'on s'efforçait de « parler Vaugelas » ; mais elles sont surtout des vaniteuses, des féministes et des prudes. Elles ont des prétentions à la science, mais elles veulent surtout montrer *Que de science aussi les femmes sont meublées* (vers 869) ; elles ont même la naïve ambition de faire de leur maison une sorte d'académie « universelle »[1], où elles réuniront ce *qu'on sépare ailleurs* (vers 872), car rien ne les rebutera, et elles s'occuperont aussi bien de « hautes sciences » que de beau langage. Soucieuses d'être célèbres et d'imposer leurs décisions et leurs lois, elles ont donc de vastes et grandioses projets, mais beaucoup moins par curiosité intellectuelle que pour s'affirmer et venger leur sexe des injures qu'on lui fait en lui fermant la porte « aux sublimes clartés ». Ce que Molière prétend donc ridiculiser et condamner, ce n'est point en soi le désir de s'instruire, mais celui de vouloir tout savoir, surtout pour en tirer gloire. Selon lui, cette attitude entraîne inévitablement le dédain de tout ce qui touche au mariage : les femmes savantes n'y voient, comme Armande, qu'une sorte d'asservissement insupportable qui choque à la fois leur pudeur, leur esprit d'indépendance et le sentiment de leur supériorité.

Telle est la thèse de Molière : il pense que le savoir est intolérable quand on ne veut l'acquérir que par vanité ; il l'avait déjà dit dans *le Bourgeois gentilhomme*. Il estime aussi — et c'est un aspect original de sa thèse dans *les Femmes savantes* — que la dispersion intellectuelle dont sont coupables ses personnages ne peut aboutir qu'à l'incohérence et à l'éparpillement de l'esprit. Philaminte,

---

1. Il y avait à Paris beaucoup d'académies particulières (chez M. de Camsignon, l'abbé d'Aubignac et Henri-Louis-Hubert de Montmort) et des salons cartésiens où brillaient des dames qui étaient loin d'être des sottes.

Armande et même Bélise parlent de tout, mais elles n'ont que des rudiments, surtout Bélise, et leur pensée n'a choisi dans les diverses doctrines que ce qui est conforme à leurs goûts ou à leur tempérament Est-ce de la vraie science ? Enfin, elles veulent être de « purs esprits ». C'est de cette pruderie que Molière veut aussi se moquer : il n'y voit que mensonge et hypocrisie. La meilleure preuve en est qu'Armande, à bout de ressources, après s'y être longtemps refusée, se résigne, non sans humeur, à s'offrir à Clitandre, qui maintenant la dédaigne (vers 1240). Cette haine de la pruderie, Molière l'avait déjà exprimée en campant dans *le Misanthrope* l'odieux personnage d'Arsinoé.

En dehors de ces prises de position fort nettes, Molière aborde aussi des questions qui, de près ou de loin, sont liées aux idées précédentes : le problème de savoir quel doit être le comportement d'une femme en société ou dans sa famille, notamment à l'égard de son mari, de ses enfants et de ses domestiques ; le problème plus général de l'éducation. Mais sur tous ces points, il laisse transparaître sa pensée, sans qu'on ait la certitude qu'elle soit bien la sienne, car ni Clitandre (vers 218-226) ni Chrysale (vers 571-590), parlant l'un et l'autre par exaspération, ne représentent vraiment et forcément le sentiment de l'auteur. On pourrait noter cependant les vers 53 à 56 qu'Henriette dit à sa sœur Armande. Ils expriment la nécessité d'une orientation pédagogique, et l'idée est trop raisonnable pour qu'elle ne soit pas celle de Molière.

La comédie des *Femmes savantes* est donc autre chose qu'une simple attaque contre la préciosité. La préciosité s'est présentée, au cours de son histoire, sous des aspects fort variés qui n'ont pas toujours été ridicules et qui ont pu même exercer sur le classicisme, comme sur les mœurs et les goûts du siècle, des influences en grande partie heureuses. Molière a même subi, plus ou moins consciemment, ces influences ; ses amoureux ne parlent-ils pas, notamment Clitandre, le galimatias galant à la mode dans les salons, qu'il a l'air de vouloir ridiculiser ? En fait, Molière ne confond pas du tout, comme on l'a dit, la vieille préciosité, alors démodée, la préciosité exagérée par les gens épris du « bel air » et la vraie préciosité, dont il aurait dû reconnaître le mérite : il veut se borner à dénoncer le danger de cette attitude intellectuelle sur des esprits faibles comme Bélise, chimériques et entêtés comme Armande ou prétentieux comme Philaminte.

Ainsi la portée de la comédie déborde largement le cadre de la préciosité du XVIIe siècle. Molière condamne beaucoup plus le faux idéalisme et le mensonge qu'un travers anodin, et beaucoup plus des attitudes d'esprit éternelles qu'une mode, même excessive, de son siècle. Le snobisme et l'affirmation agressive de l'égalité des sexes, la pruderie et la vanité sont toujours d'actualité. Voilà ce que Molière attaque.

LES CARACTÈRES

Derrière la comédie de mœurs qui peint le train de vie, les usages, les préjugés d'une époque, particulièrement l'usage d'imposer un mari à une fille sans qu'elle ose dire non, se profilent des personnages qui sont, comme il arrive chez les grands créateurs, à la fois des types — ce qui leur donne du relief — et des individus — ce qui leur donne de la vie.

a) *Du côté des hommes*, **Chrysale** est présenté avec toute l'unité et tous les aspects qui lui donnent à la fois une personnalité et une complexité nuancée. Autour d'un trait fondamental — la peur de sa femme, qui fait plaisamment contraste avec ses fanfaronnades d'énergie —, apparaissent des éléments secondaires qui complètent sa physionomie. Ils apparaissent surtout dans la scène où il éclate de colère (acte II, scène VII) et exprime, non sans précaution, les griefs qu'il a depuis longtemps sur le cœur. Car ce bourgeois est aussi un égoïste qui a le souci du « qu'en-dira-t-on ». Il est gourmand, assez intéressé, et il aime ses aises ; obligé de s'occuper lui-même de ses rabats, il vit volontiers, pour oublier le présent, dans un passé qu'il embellit, et il souhaiterait garder aux yeux du monde l'« allure » et la tenue d'un homme soigné et respectable. Il ne serait que ridicule si sa lâcheté ne le rendait pitoyable, du moins jusqu'aux dernières scènes, où il semble vouloir se ressaisir.

Près de lui, le soutenant ou comptant sur lui, **Ariste** et **Clitandre** représentent le bon sens un peu froid et un peu raisonneur, encore que l'un raille volontiers son frère et prépare habilement le dénouement, et que l'autre soit un homme du monde : s'il est capable de mouvements de jalousie, il peut cependant les maîtriser. Clitandre sera pour Henriette non un mari passionné, mais un mari calme et réfléchi. On peut lui reprocher d'être un peu bavard, mais ne sera-t-il pas ainsi mieux assorti que s'il était devenu le mari d'une femme romanesque ? Et n'est-il pas aussi le représentant d'une Cour qu'il défend dans un milieu bourgeois où il semble s'être fourvoyé ?

Trissotin et **Vadius** représentent, par contraste, le « bel esprit », chacun avec ses nuances : l'un bouffi de vanité et de suffisance, a un certain usage de la vie sociale et de la galanterie, mais cache sous ses amabilités doucereuses un esprit habile, calculateur, froidement impitoyable. Son vrai visage n'apparaîtra dans tout son cynisme que dans la scène première de l'acte V (vers 1536), où il dira :

> Pourvu que je vous aie, il n'importe comment.

L'autre, vêtu de noir, érudit de bibliothèque, égaré dans un monde dont il n'a pas l'usage, est aussi vaniteux que son comparse.

b) *Du côté des femmes*, une variété étonnante : **Philaminte**, la mère, est la plus intelligente, donc la plus coupable mais aussi la plus désintéressée (voyez son attitude quand elle se croit ruinée). C'est une femme qui raisonne en partie ses admirations (vers 787), mais autoritaire, masculine, soucieuse de tout régenter, et chez qui le désir de singer les grandes dames et l'humeur égoïste ont étouffé toute méfiance, toute tendresse, toute pitié, toute féminité. Elle est cartésienne, comme beaucoup de femmes l'étaient au XVIIe siècle ; elle est stoïcienne, parce qu'elle a le goût de la difficulté et de l'effort, mais cet effort, elle ne l'applique guère à faire taire en elle sa vanité. Elle est avant tout odieuse, sauf à la fin, où sa fermeté d'âme la rend presque plus sympathique que son mari.

Armande est une jeune fille qui s'est nourrie de rêves. Imaginative plus qu'intelligente, se sachant protégée par sa mère, elle est elle aussi égoïste et dédaigne son père, qu'elle méprise un peu. Furieuse et dépitée, elle veut se venger non seulement en empêchant Henriette d'épouser Clitandre, mais aussi en lui imposant un autre mariage. C'est le type de la « fille prétentieuse », qui n'a d'autres circonstances atténuantes que d'avoir été dominée par une mère et humiliée par celui qu'elle aime encore.

Quant à **Bélise,** elle est un peu la parente pauvre de la maison, que personne ne craint, pas même Chrysale. C'est une vieille fille, mais elle n'en a certainement pas l'amertume : elle vit dans ses « visions », persuadée que tous les hommes l'adorent, et cette illusion plaisante auréole assez sa vie pour qu'elle ne soit pas à plaindre. Peu comblée par la nature, elle se plaît à contenter son intelligence peu ouverte, à répéter des notions élémentaires fraîchement acquises, et surtout à enseigner ce rudiment. En elle, le complexe maternel non satisfait a trouvé le dérivatif de la pédagogie.

De même que, en face des Trissotin et des Vadius, Chrysale, Ariste et Clitandre représentent différentes formes du bon sens, prosaïque, raisonneur ou mesuré, **Henriette** se pare en face de sa sœur, de sa mère et de sa tante de toutes les grâces d'une finesse railleuse qui est loin d'être, comme on l'a dit, « haïssable ». A-t-elle vraiment une ironie acerbe, une fausse humilité et une vulgarité de pensée qui en font un être médiocre ? Sans doute se contente-t-elle d'un cœur qui n'a pas été ouvert immédiatement à ses charmes. Mais, pour la juger, il convient de se rappeler qu'elle est à peu près seule à assurer son bonheur. Elle sait et elle dit que son père est d'une humeur à consentir à tout. Mais a-t-elle tort ? et à qui se confier ? Il fallait bien que Molière fît d'elle une fille raisonnable et même fort réaliste pour mieux l'opposer à ceux qui la dédaignent et lui donner la force de faire front. Elle le fait avec esprit et une intelligence bien supérieure à celle d'Armande. C'était rappeler que le bon sens peut exister même et peut-être surtout chez des âmes spontanées, et aussi que les femmes ne sont pas toutes des prétentieuses ou des prudes.

Quant à **Martine,** elle est vraisemblablement moins bornée qu'on pourrait le supposer. Elle est peut-être plus terne que d'autres servantes de Molière, mais on peut dire à sa décharge qu'elle est fort dévouée et qu'en attendant de réagir vivement (acte V, scène III) elle a été réduite à ne pas bien comprendre les billevesées dont on abreuve son bon sens de paysanne.

LA FORME, LE STYLE ET LE COMIQUE

Une fois de plus, Molière a prêté à chacun de ses personnages un langage en rapport avec son caractère, sa situation ou son humeur. Tantôt vulgaire (vers 594), tantôt net (vers 113), tantôt méprisant (vers 615), tantôt prétentieux (vers 747), tantôt savoureux (vers 1644), tantôt pédant (vers 972), tantôt acerbe (vers 1015), il n'est jamais uniforme : c'est un admirable style de théâtre qui passe irrésistiblement la rampe et s'adapte à tout, entraînant le spectateur en une suite endiablée de dialogues étincelants. Par surcroît, il se double de jeux de scène et de tons où les moindres mots *(monsieur, madame, on)* se chargent d'une valeur affective qui varie suivant les scènes et marquent tantôt le respect véritable, tantôt le respect simulé ou glacé, tantôt le dédain (acte premier, scène II). Souvent il s'éclaire d'une anecdote ou d'un tableau qui parlent à notre imagination (vers 262-268 ; vers 599-600) tout en confirmant ce que nous avons à savoir d'un personnage ou d'une situation. Par moments, la sonorité choisie, et au besoin répétée, crée une cacophonie (vers 943-944) qui déchaîne le rire.

Ce rire, Molière le fait jaillir avec une puissance extraordinaire de tout ce que sa verve imagine. A côté du *comique de caractère* (idée fixe de Bélise, contradiction de Chrysale) apparaissent aussi des procédés dont l'effet est toujours sûr, par exemple : le *comique de disproportion* de la scène VI de l'acte II, où la colère violente de Philaminte est provoquée par l'impropriété d'un mot « sauvage et bas » qu'elle a entendu dans la bouche de sa servante ; l'*exagération caricaturale* et *contagieuse* d'une admiration qui, à la scène II de l'acte III, « se meurt de plaisir » ; l'*accumulation* des compliments, puis des injures, dont s'accablent réciproquement et parallèlement Trissotin et Vadius, à la scène III de l'acte III ; le *contraste* entre le préambule pompeux de Vadius et son humble conclusion, au cours de cette même scène, où, sans transition, il condamne et imite les auteurs en quête partout d'encens et de compliments ; et même le comique plus vulgaire du *jeu de mots* et du calembour (vers 491), car Molière n'a jamais dédaigné la farce. La force comique est si intarissable que tous ces procédés, loin d'être réservés à certaines scènes, viennent se superposer et s'enchevêtrer, sans jamais cesser d'être naturels, parce qu'ils sont le plus souvent la conséquence d'un caractère ou d'une situation. Le comique, la vérité et la vie ne font plus qu'un dans la pièce, comme dans toutes ses grandes comédies. C'est pourtant le comique qui l'emporte sur tous les autres aspects de la pièce, surtout à la représentation, car Molière, quoi qu'en aient pensé les romantiques, a voulu surtout faire rire. Peut-on dire qu'il n'y ait pas réussi ? Mais il a voulu aussi — du moins il le dit dans la Préface du *Tartuffe* — corriger les hommes : « Les plus beaux traits d'une sérieuse morale sont moins puissants, le plus souvent, que ceux de la satire ; et rien ne reprend mieux la plupart des hommes que la peinture de leurs défauts. C'est une grande atteinte aux vices que de les exposer à la risée de tout le monde. » La comédie des *Femmes savantes*, après nous avoir fort divertis, nous fait ainsi réfléchir et penser. Faut-il s'en plaindre ? On pourra reprocher à Molière ses erreurs et ses injustices, surtout aujourd'hui où plus que jamais les femmes, sans rien perdre de leur féminité, ont su devenir au moins les égales des hommes. Mais on pourra aussi remarquer qu'il a œuvré pour que règnent ici-bas non seulement la bonne humeur, mais aussi le bonheur. Il a rappelé aux uns — les parents — qu'ils avaient le devoir d'assurer ce bonheur à leurs enfants, et aux autres — les enfants — que, dans leur quête d'un bonheur fondé sur l'amour et la simplicité, ils auraient toujours avec eux les droits du bon sens et de la raison.

LE VOCABULAIRE DU PÉDANTISME
DANS « LES FEMMES SAVANTES »

Les personnages trahissent leurs préoccupations dans le vocabulaire qu'ils emploient non moins que dans leurs actes ou leurs attitudes.

Dans le relevé suivant, nous avons distingué :

1° Les oppositions qui traduisent, à chaque occasion, le mépris général pour tout ce qui n'est pas intellectuel ; en raison de leur fréquence et de leur variété d'emplois, ces mots sont marqués d'un astérisque* dans le texte ;

2° Les termes techniques ou courants, mais dont l'accumulation prend un caractère ridicule ou insupportable.

Les chiffres indiqués entre parenthèses renvoient aux vers du texte.

1° LA MENTALITÉ PÉDANTE

● *La suprématie de l'esprit sur la matière.*

— Le mot **esprit** est le plus fréquent, qu'il soit opposé à la matière ou à la stupidité (vers 10, 26, 36, 55, 65, 71, 85, 97, 213, 489, 546, 549, 617, 730, 852, 862, 865, 932, 1051, 1066, 1072, 1130, 1211, 1220, 1239, 1277, 1328, 1345, 1376, 1382, 1524, 1580, 1664, 1665), ou à la lourdeur (vers 226, 230, 291, 295, 339). Le **bel esprit** (vers 1255) est la forme la plus raffinée de la supériorité intellectuelle, et l'expression est souvent au pluriel, **beaux esprits**, pour désigner ceux qui sont pourvus d'une telle intelligence (vers 233, 692, 912, 939, 1253, 1255, 1333). **Grand esprit** (vers 896) est opposé à **petit esprit** (vers 190).

— Apparaissent fréquemment **âme** (vers 69, 107, 132, 142, 212, 246, 296, 1145, 1170, 1176, 1201, 1214, 1218, 1581, 1697) ainsi que **raison** (vers 46, 101, 182, 598, 1128, 1464, 1545). On rencontre encore **spirituel** (vers 538), **élévations** (vers 57), **détachements** (vers 1216), **épuré** (vers 318, 1684), **haut** (vers 33) et **pureté** (vers 1191).

— La **matière** (vers 35, 72, 1130, 1198), l'adjectif **matériel** (vers 489, 537), les **sens** (vers 35, 70, 101, 181, 1194, 1203, 1222) et la **chair** (vers 1238) représentent la catégorie des choses méprisables. Ce jugement se marque dans le choix des termes : **appétits** (vers 48), **faiblesse** (vers 184, 1545, 1581), **bassesse** (vers 82, 96, 615), **bas** (vers 32, 90), **impur** (vers 1209), **vulgaire** (vers 4, 31, 1190,

1545), **grossier** (vers 31, 48, 70, 535, 1197, 1224), **sale** (vers 12, 1208) ; ou dans leur association : la **partie animale** (vers 47, 160), les **sentiments brutaux** (vers 1236).

● *Savoir et ignorance.*

— Le mot **science** (vers 548, 564, 587, 595, 733, 869, 873, 1069, 1274, 1277, 1282, 1284, 1294, 1349, 1371, 1382, 1606) de même que son synonyme le **savoir** (vers 224, 1303, 1304, 1346, 1361, 1378) jalonnent la pièce. **Savant** est employé comme nom (vers 38, 58, 84, 929, 1280, 1308, 1309, 1311, 1386, 1657, 1662) ou comme adjectif (vers 220, 545). On rencontre également **clartés** (vers 40, 218, 856, 887), **lumière** (au singulier : vers 71 ; au pluriel : vers 865), **étude** (vers 42, 223, 576, 1302) et **érudition** (vers 833).

— Les notions contraires sont représentées, mais avec une fréquence moindre : **ignorance** (vers 1273, 1293, 1305, 1307, 1329) et **ignorant** (vers 1279, 1296, 1298).

— **Docteur** (vers 217, 564, 1670), **docte** (vers 906, 951, 1054, 1359), **pédant** (vers 235, 252, 691, 1011, 1093, 1300) et **pédanterie** (vers 1346) répondent à **sottise** (v. 1301) et à **sot** (vers 196, 1284, 1294, 1296, 1298, 1300, 1603) ou s'y associent.

2° LES DOMAINES DU PÉDANTISME

● *Les lettres et la langue.*

— La **langue** (vers 899), le **beau langage** (vers 873, 1602), le **bel usage** (vers 476), le **jargon** (vers 474, 475) sont révélateurs, ainsi que l'adverbe **congrûment** (vers 482). Deux langues particulières sont souvent citées : le **latin** (vers 609, 650, 690, 1043, 1375, 1432, 1659) et le **grec** (vers 942, 943, 944, 945, 946, 947, 948, 952, 1043, 1375, 1659).

— La **grammaire** (vers 465, 491, 493, 497, 894) et le **style** (vers 1601, 1603) donnent tout un vocabulaire technique : **syllabe** (vers 913), **mots** (vers 903, 907, 914, 1604) et leur **choix** (vers 971) ; **substantif** (vers 498) et **nom** (vers 528, 903), **adjectif** (vers 498), **adverbe** (vers 770), **verbe** (vers 497, 903) ; **singulier** et **pluriel** (vers 490) ; **accorder** (vers 502) et **accommoder** (vers 528) ; **se décliner** (vers 838), **nominatif** (vers 497), **construction** (vers 471), un **tour** (vers 971), une **négative** (vers 484), **synonymes** (vers 1298). Dans les **figures** (vers 305, 315), on rencontre l'**ithos** et le **pathos** (vers 972), **enveloppe** (vers 834), **métaphore** (vers 781), **pléonasme** (vers 524), **paradoxe** (vers 1285).

— Dans le domaine poétique, on rencontre **rimer** (vers 1432), **vers,** souvent en opposition avec **prose** (vers 263, 778, 844, 894, 908, 923, 953, 958, 969, 1031, 1043), **quatrain** (vers 801), **tiercet** (vers 802), **ballade** (vers 981, 987, 1005, 1006, 1008), **bouts-rimés** (vers 982), **chansonnette** (vers 977), **églogue** (vers 973), **épigramme** (vers 834), **madrigal** (vers 750, 980), **ode** (vers 975), **rondeau** (vers 979) et **sonnet** (vers 751, 760, 761, 817, 978, 988, 992, 997, 1004, 1047).

— Les fautes fournissent un vocabulaire assez bien représenté : **mot sauvage** (vers 461, 1601), **impropriété** (vers 461), **équivoque** (vers 917) ; **solécisme** (vers 487, 599), **contresens** (vers 493), **barbarie** (vers 1605, 1612), **galimatias** (vers 1520), **cacophonie** (vers 524) et l'expression qui résume cet ensemble : **un barbare amas de vices d'oraison** (vers 518).

— Enfin, les injures littéraires sont assez variées : de **rimeur** (vers 1016) à **grimaud** (vers 1015), en passant par **barbouilleur** (vers 1015), **cuistre** (vers 1018) et **plagiaire** (vers 1017). On trouve les verbes **se barbouiller** (vers 1375) et **piller** (lettre de Vadius).

● *La philosophie et les sciences morales.*

— Outre le verbe **philosopher** (vers 1110), on rencontre, en alternance, **philosophie** (vers 44, 64, 80, 98, 576, 1146, 1217, 1394, 1550, 1772) et **sagesse** (vers 183, 1501), de même que **philosophe** (vers 56, 625, 667, 692, 1468, 1728, 1764) et **sage** (vers 323, 328, 898, 921, 965, 1544, 1636, 1707).

— Parmi les **sectes** (vers 876), notons le **platonisme** (vers 878), le **péripatétisme** (vers 877), les **stoïciens** (vers 897).

— Dans le vocabulaire proprement philosophique, on peut citer **abstractions** (vers 878), **dogme** (vers 879, 965), **ordre** (vers 877), **raisonnement** (vers 1487), **spéculation** (vers 58), la **substance pensante** (vers 1685), **étendue** (vers 1686), la **forme** (vers 1130).

— On cultive également les sciences morales : l'**histoire** (vers 894), la **morale** (vers 894, 895), la **politique** (vers 894).

● *Les sciences de la nature.*

— La **physique** (vers 893) donne lieu à un développement dans deux directions :

a) Les moyens d'investigation : **lunette** (vers 566) et **expériences** (vers 874) ;

b) Les notions physiques : **petits corps** (vers 880), le **vide** (vers 881), la **matière subtile** (vers 887), **tourbillons** (vers 884, 1268), l'**aimant** (vers 883), **mondes tombants** (vers 884), **équilibre des choses** (vers 739), **point fixe** (vers 741), **centre de gravité** (vers 742).

— A l'exception des mots **nature** (vers 874, 888), **monde** (vers 1267) et **terre** (vers 1269), nous avons cru intéressant de rapprocher ces termes et ces expressions employées dans *les Femmes savantes* de textes scientifiques de Descartes ou de dictionnaires qui les utilisent ou les définissent.

« Qu'il ne peut y avoir aucuns atomes ou **petits corps** indivisibles » (Descartes, *Principes*, II, 20). ◆ « Vous avez très bonne raison de maintenir que dans le **vide** même, s'il est possible, une pierre irait plus lentement ou plus vite, selon qu'elle aurait été mue lentement ou plus vite » (Descartes, *Lettres au P. Mersenne*, le 13 novembre 1639). ◆ « Il est nécessaire que ces pores soient remplis de quelque **matière** fort **subtile** et fort fluide, qui s'étende sans interruption depuis les astres jusques à nous » (Descartes, *Dioptrique*, I). ◆ « Que les cieux sont divisés en plusieurs **tourbillons,** et que les pôles de quelques-uns de ces **tourbillons** touchent les parties les plus éloignées des pôles des autres » (Descartes, *Principes*, III, 65). ◆ « Pourquoi deux pierres d'**aimant** se tournent l'une vers l'autre, ainsi que chacune se tourne vers la Terre, laquelle est aussi un **aimant** » (Descartes, *Principes*, IV, 152). ◆ « Comment s'allument les étoiles qui **tombent,** et quelle est la cause de tous les autres, tels feux qui luisent et ne brûlent point » (Descartes, *Principes*, IV, 90). ◆ « **Tomber** se dit aussi des météores qui descendent de l'air en terre » (*Dictionnaire de Trévoux*, 1743). ◆ Définition de l'**équilibre des choses :** « La première (loi de la nature) est que chaque chose en particulier continue d'être en même état autant qu'il se peut, et que jamais elle ne le change que par la rencontre des autres » (Descartes, *Principes*, II, 37). ◆ « Archimède, pour tirer le globe terrestre et le transporter en un autre lieu, ne demandait rien qu'un **point** qui fût **ferme** et immobile » (Descartes, *Méditations*, II). ◆ « En termes de mécanique, on appelle **centre de gravité**, le point par lequel un corps étant suspendu de quelque manière que ce puisse être, il demeure dans cet état, et ne penche ni de côté ni d'autre » (*Dictionnaire de Trévoux*, 1743).

P E R S O N N A G E S[1]

CHRYSALE   bon bourgeois[2].

PHILAMINTE femme de Chrysale.

ARMANDE ⎫
         ⎬ filles de Chrysale et de Philaminte.
HENRIETTE ⎭

ARISTE   frère de Chrysale.

BÉLISE   sœur de Chrysale.

CLITANDRE   amant d'Henriette.

TRISSOTIN   bel esprit.

VADIUS   savant.

MARTINE   servante de cuisine.

LÉPINE   laquais.

JULIEN   valet de Vadius.

LE NOTAIRE

La scène est à Paris.

1. A la première représentation, la distribution était la suivante : Molière jouait le rôle de *Chrysale* ; Armande Béjart, celui d'*Henriette* ; Mlle de Brie, celui d'*Armande* ; Hubert, celui de *Philaminte* ; Baron était *Ariste* ; La Grange, *Clitandre* ; La Thorillière, *Trissotin* ; Du Croisy, *Vadius* ; Geneviève Béjart, *Bélise*. La tradition veut que le rôle de Martine ait été confié par Molière à sa servante ; 2. Bourgeois aisé, issu de bonne bourgeoisie. Le rôle était tenu par Molière.

LES FEMMES SAVANTES

ACTE PREMIER

Scène première. — ARMANDE, HENRIETTE.

ARMANDE

Quoi! le beau nom de fille[1] est un titre, ma sœur,
Dont vous voulez quitter la charmante douceur,
Et de vous marier vous osez faire fête[2]?
Ce vulgaire* dessein vous peut monter en tête?

HENRIETTE

5 Oui, ma sœur.

ARMANDE

     Ah! ce oui[3] se peut-il supporter?
Et sans un mal de cœur saurait-on l'écouter?

HENRIETTE

Qu'a donc le mariage en soi qui vous oblige,
Ma sœur...

ARMANDE

    Ah! mon Dieu, fi!

HENRIETTE

       Comment?

ARMANDE

        Ah! fi! vous dis-je,
Ne concevez-vous point ce que, dès qu'on l'entend,
10 Un tel mot à l'esprit* offre de dégoûtant[4],
De quelle étrange image on est par lui blessée,

---

1. De jeune fille; 2. *Faire fête de :* se réjouir de. On dirait aujourd'hui *se faire une fête de;* 3. Ce *oui* fait un hiatus destiné à mettre en relief le ridicule de la réflexion faite par Armande; 4. *Dégoûtant :* déplaisant. *Dégoûter* signifie « ôter le goût de; donner de l'aversion pour » (*Dictionnaire de l'Académie,* 1694). Le mot a donc un sens moins fort qu'aujourd'hui.

━━━ QUESTIONS ━━━

● Vers 1-4. La littérature précieuse et, en particulier, *le Grand Cyrus* de Mlle de Scudéry (1650) avaient répandu l'opinion que le mariage n'est guère conforme à l'idéal romanesque de l'amour. A la lumière de cette indication, montrez quel trait d'Armande apparaît dès son entrée en scène. Soulignez les contrastes du vocabulaire dans ces quatre vers.

Sur quelle sale* vue il traîne la pensée?
N'en frissonnez-vous point? et pouvez-vous, ma sœur,
Aux suites[1] de ce mot résoudre votre cœur?

HENRIETTE

15 Les suites de ce mot, quand je les envisage,
Me font voir un mari, des enfants, un ménage;
Et je ne vois rien là, si j'en puis raisonner,
Qui blesse la pensée et fasse frissonner.

ARMANDE

De tels attachements, ô ciel! sont pour vous plaire[2]!

HENRIETTE

20 Et qu'est-ce qu'à mon âge on a de mieux à faire,
Que d'attacher à soi, par le titre d'époux,
Un homme qui vous aime et soit aimé de vous,
Et de cette union, de tendresse suivie,
Se faire les douceurs d'une innocente vie?
25 Ce nœud bien assorti[3] n'a-t-il pas des appas[4]?

ARMANDE

Mon Dieu, que votre esprit* est d'un étage bas!
Que vous jouez au monde un petit personnage,
De vous claquemurer[5] aux choses du ménage,
Et de n'entrevoir point de plaisirs plus touchants
30 Qu'un idole[6] d'époux et des marmots d'enfants!
Laissez aux gens grossiers*, aux personnes vulgaires*,
Les bas* amusements[7] de ces sortes d'affaires.
A de plus hauts* objets élevez vos désirs,
Songez à prendre un goût[8] des plus nobles plaisirs,
35 Et, traitant de mépris[9] les sens* et la matière*,

---

1. *Suites* : conséquences; **2.** Sont destinés à vous plaire (tournure familière de la conversation); **3.** Cette union, à condition qu'elle soit bien assortie, c'est-à-dire que les deux époux soient faits pour s'entendre; **4.** *Des appas* : des attraits, des agréments; **5.** *Se claquemurer* : s'enfermer, s'emprisonner; **6.** *Un idole.* Le genre de ce mot, aujourd'hui féminin, est encore indécis au XVIIe siècle, comme c'est le cas d'un certain nombre de mots commençant par une voyelle; **7.** *Amusement* : occupation qui sert à passer le temps et non pas divertissement, distraction; **8.** A prendre un certain goût, à goûter un peu; **9.** Avec mépris.

——— ● QUESTIONS ———

● VERS 5-14. Montrez ce qui, dans le personnage d'Armande, est ridicule. A quoi attribuez-vous sa véhémence? Peut-elle être totalement désintéressée? La hardiesse d'expression dans le vers 14.
● VERS 15-25. Comment vous apparaît Henriette? Quelles qualités d'esprit et de style oppose-t-elle à sa sœur? Soulignez le contraste entre les théories d'Henriette (vers 20-25) et celles des précieuses.

LES FEMMES SAVANTES AU THÉÂTRE NATIONAL POPULAIRE (1960)
Armande et Clitandre (Jean Vilar).

LES FEMMES SAVANTES

2

A l'esprit*, comme nous, donnez-vous tout entière :
Vous avez notre mère en exemple à vos yeux,
Que du nom de savante* on honore en tous lieux ;
Tâchez, ainsi que moi, de vous montrer sa fille,
40 Aspirez aux clartés¹* qui sont dans la famille,
Et vous rendez² sensible aux charmantes douceurs
Que l'amour de l'étude* épanche dans les cœurs.
Loin d'être aux lois d'un homme en esclave asservie,
Mariez-vous, ma sœur, à la philosophie,
45 Qui nous monte au-dessus de tout le genre humain
Et donne à la raison* l'empire souverain,
Soumettant à ses lois la partie animale*,
Dont l'appétit* grossier* aux bêtes nous ravale³.
Ce sont là les beaux feux, les doux attachements,
50 Qui doivent de la vie occuper les moments ;
Et les soins⁴ où⁵ je vois tant de femmes sensibles⁶
Me paraissent aux yeux des pauvretés horribles.

HENRIETTE

Le ciel, dont nous voyons que l'ordre est tout-puissant,
Pour différents emplois nous fabrique en naissant⁷ ;
55 Et tout esprit* n'est pas composé d'une étoffe
Qui se trouve taillée à faire un philosophe.
Si le vôtre est né propre aux élévations⁸*
Où montent des savants* les spéculations,
Le mien est fait, ma sœur, pour aller terre à terre,

---

1. *Clartés* : lumières de l'esprit, connaissances intellectuelles ; 2. *Et vous rendez* : et rendez-vous. Place normale, dans la langue du XVIIᵉ siècle, du pronom complément d'un impératif qui vient lui-même à la suite d'autres impératifs ; 3. Nous fait descendre au rang des bêtes ; 4. *Les soins* : les soucis (sens fort) ; 5. *Où* : auxquels. Cet emploi de *où* est constant dans la langue classique ; 6. *Sensible* : accessible à l'amour ; 7. *En naissant* : quand nous naissons. Cette tournure serait incorrecte aujourd'hui, puisque le gérondif doit avoir le même sujet que le verbe à mode personnel ; 8. Aux pensées nobles et élevées.

--- **QUESTIONS** ---

● Vers 26-52. Composition de cette tirade : le ton d'Armande a-t-il changé depuis le début de la scène ? Montrez, en plus de l'indignation, la volonté de dénigrement dès le début (vers 26-30) de sa réplique à sa sœur. — Soulignez l'effet comique des vers 35-36 ; comment se développe-t-il dans les vers suivants ? Montrez que le trait grossit jusqu'à la caricature aux vers 43-44. — La construction symétrique de la phrase dans les vers 43 et 48. Exprimés sous une forme plus sobre, tous ces arguments seraient-ils faux ou ridicules ?

60 Et dans les petits soins son faible[1] se resserre.
Ne troublons point du ciel les justes règlements
Et de nos deux instincts suivons les mouvements.
Habitez, par l'essor d'un grand et beau génie[2],
Les hautes régions de la philosophie,
65 Tandis que mon esprit*, se tenant ici-bas,
Goûtera de l'hymen les terrestres appas.
Ainsi, dans nos desseins l'une à l'autre contraire,
Nous saurons toutes deux imiter notre mère :
Vous, du côté de l'âme* et des nobles désirs,
70 Moi, du côté des sens* et des grossiers* plaisirs;
Vous, aux[3] productions d'esprit* et de lumière*,
Moi, dans celles, ma sœur, qui sont de la matière*.

ARMANDE

Quand sur une personne on prétend se régler,
C'est par les beaux côtés qu'il lui faut ressembler,
75 Et ce n'est point du tout la prendre pour modèle,
Ma sœur, que de tousser et de cracher comme elle.

HENRIETTE

Mais vous ne seriez pas ce dont vous vous vantez
Si ma mère n'eût eu que de ces beaux côtés;
Et bien vous prend, ma sœur, que son noble génie
80 N'ait pas vaqué toujours à la philosophie.
De grâce, souffrez-moi[4], par un peu de bonté,
Des bassesses* à qui vous devez la clarté,
Et ne supprimez point, voulant qu'on vous seconde[5],

---

1. *Le faible* : « Le principal défaut d'une personne, l'endroit où on peut la prendre plus aisément » (*Dictionnaire* de Furetière) ; 2. *Génie* : ensemble des aptitudes naturelles ; 3. Dans les *productions*. La préposition *à* comporte des emplois beaucoup plus souples que dans la langue moderne ; 4. *Souffrez-moi* : permettez-moi ; 5. *Seconder* : imiter.

● QUESTIONS ─────────────────

● Vers 53-72. Les arguments d'Henriette. En quoi consiste son esprit ? Pourquoi est-elle supérieure à Armande ? Pourquoi nous est-elle sympathique malgré le caractère un peu cruel de son ironie ? — Opposez son langage à celui de sa sœur ; est-il aussi véhément ? Son vocabulaire : en quoi les mots choisis accentuent-ils les contrastes qu'elle évoque ? Comparez les adjectifs qu'elle utilise à ceux qu'emploie Armande. — Vers quelle conclusion semble-t-elle vouloir amener la discussion ?

Quelque petit savant* qui veut venir au monde.

ARMANDE

85 Je vois que votre esprit* ne peut être guéri
Du fol entêtement de vous faire un mari;
Mais sachons, s'il vous plaît, qui vous songez à prendre,
Votre visée[1] au moins n'est pas mise à Clitandre?

HENRIETTE

Et par quelle raison n'y serait-elle pas?
90 Manque-t-il de mérite? est-ce un choix qui soit bas*?

ARMANDE

Non; mais c'est un dessein qui serait malhonnête
Que de vouloir d'une autre enlever la conquête :
Et ce n'est pas un fait dans le monde ignoré
Que Clitandre ait pour moi hautement[2] soupiré.

HENRIETTE

95 Oui; mais tous ces soupirs chez vous[3] sont choses vaines,
Et vous ne tombez pas aux bassesses* humaines :
Votre esprit* à l'hymen renonce pour toujours,
Et la philosophie a toutes vos amours.
Ainsi, n'ayant au cœur nul dessein pour Clitandre,
100 Que vous importe-t-il qu'on y puisse prétendre?

ARMANDE

Cet empire que tient la raison* sur les sens*
Ne fait pas renoncer aux douceurs des encens;

---

1. *Votre visée :* votre but. En ce sens, le mot serait pris aujourd'hui au pluriel ; 2. *Hautement :* ouvertement, clairement ; 3. *Chez vous :* à votre point de vue.

──────── QUESTIONS ────────

● VERS 73-84. Le comique psychologique de cette réponse (vers 73-76). L'idée est-elle fausse? Pourquoi rit-on? — Montrez que la réplique d'Henriette (vers 77-84) n'est qu'un développement d'une idée déjà esquissée un peu plus haut. Pourquoi insiste-t-elle tellement sur cette idée?

● VERS 85-90. Faut-il dire que le dialogue dévie ici de son sujet? De quel jour nouveau s'éclaire toute la discussion qui vient d'avoir lieu? — Peut-on deviner déjà le sens de la question posée au vers 88? — Comment se marque, dans le ton d'Henriette, son attachement à Clitandre? Ne comprend-elle pas la raison qui pousse sa sœur à l'interroger sur le jeune homme, ou est-ce une feinte malicieuse?

Et l'on peut pour époux refuser un mérite[1]
Que pour adorateur on veut bien à sa suite[2].

HENRIETTE

105 Je n'ai pas empêché qu'à vos perfections
Il n'ait continué ses adorations,
Et je n'ai fait que prendre, au refus de votre âme[3]*,
Ce qu'est venu m'offrir l'hommage de sa flamme.

ARMANDE

Mais à l'offre des vœux d'un amant dépité
110 Trouvez-vous, je vous prie, entière sûreté?
Croyez-vous pour vos yeux sa passion bien forte,
Et qu'en son cœur pour moi toute flamme soit morte?

HENRIETTE

Il me le dit, ma sœur, et, pour moi, je le croi[4].

ARMANDE

Ne soyez pas, ma sœur, d'une si bonne foi[5],
115 Et croyez, quand il dit qu'il me quitte et vous aime,
Qu'il n'y songe pas bien et se trompe lui-même.

HENRIETTE

Je ne sais; mais enfin, si c'est votre plaisir,
Il nous est bien aisé de nous en éclaircir[6].
Je l'aperçois qui vient, et sur cette matière

1. Un homme de mérite. Le terme abstrait semble plus noble ; 2. Avoir autour de soi une cour d'adorateurs, traîner les cœurs après soi, tel est l'idéal des coquettes (voir le personnage de Célimène dans *le Misanthrope*) ; 3. Quand votre âme lui a signifié un refus ; 4. Orthographe admise à la rime pour la première personne de l'indicatif présent dans certains verbes ; c'est d'ailleurs l'orthographe ancienne, qui se justifiait par l'étymologie latine ; 5. D'une si grande crédulité ; 6. *Éclaircir :* « Instruire de quelque chose qu'on ne savait pas » (*Dictionnaire* de Richelet).

─────── ● QUESTIONS ───────

● Vers 91-104. Soulignez le comique des prétentions d'Armande (vers 91-94). — L'ironie d'Henriette (vers 95-99) n'est-elle pas trop facile? Montrez que sa façon de réagir prouve qu'elle est sûre de Clitandre. — Marquez la conformité des vers 101-104 avec l'idéal précieux. Armande n'est-elle pas logique avec elle-même? — D'où vient le comique et comment est-il mis en lumière?

● Vers 105-120. Relevez les expressions qui révèlent l'âpreté croissante de la discussion. Recherchez dans les propos d'Armande ce qu'il y a de blessant, sinon d'outrageant, pour sa sœur. — La réponse d'Henriette : après l'admiration ironique et la fausse humilité (vers 105-108), la feinte naïveté (vers 113) et la proposition de l'épreuve (vers 117-120); Henriette se défend-elle bien contre l'agressivité de sa sœur?

120 Il pourra nous donner une pleine lumière.

Scène II. — CLITANDRE, ARMANDE, HENRIETTE.

HENRIETTE

Pour me tirer d'un doute où me jette ma sœur,
Entre elle et moi, Clitandre, expliquez[1] votre cœur,
Découvrez-en le fond, et nous daignez[2] apprendre
Qui de nous à vos vœux est en droit de prétendre.

ARMANDE

125 Non, non, je ne veux point à votre passion
Imposer la rigueur d'une explication :
Je ménage les gens et sais comme embarrasse
Le contraignant effort de ces aveux en face.

CLITANDRE, *à Armande.*

Non madame[3], mon cœur, qui dissimule peu,
130 Ne sent nulle contrainte à faire un libre aveu ;
Dans aucun embarras un tel pas[4] ne me jette,
Et j'avouerai tout haut, d'une âme* franche et nette,

---

1. *Expliquer :* découvrir complètement ; 2. Voir vers 41 et la note ; 3. On dit, dans la bonne société du XVIIᵉ siècle, *madame* même aux femmes non mariées ; 4. *Un tel pas :* une telle situation.

■ QUESTIONS ──────────────

■ Sur l'ensemble de la scène première. — Quels renseignements donne la scène au point de vue de l'action, de la thèse et des caractères ? Cette scène a-t-elle la seule valeur d'une scène d'exposition, et cette exposition est-elle complète ?

— Comment Molière a-t-il donné à l'expression de deux théories contraires une forme dramatique et vivante ? L'ordre dans lequel se succèdent les deux parties de la scène est-il naturel ? Est-il voulu par Armande ? Pourquoi ôte-t-il leur valeur aux arguments qu'elle soutient dans la première partie ?

— Comment s'opposent les deux caractères ? Cette opposition n'apparaît-elle pas aussi dans le langage de l'une et de l'autre ? Sans connaître Clitandre, comprend-on pourquoi il a préféré Henriette ?

● Vers 121-128. Peut-on trouver très délicat le procédé d'Henriette ? Ne montre-t-elle pas un certain égoisme ? Comparez la situation de Clitandre ici à celle de Célimène dans *le Misanthrope* (acte V, scène II, vers 1587-1622). — L'attitude d'Armande : faites la part de la leçon de délicatesse qu'elle veut donner à sa sœur et celle de l'appréhension.

Que les tendres liens où[1] je suis arrêté,
    (Montrant Henriette.)
Mon amour et mes vœux, sont tout de ce côté.
135 Qu'à nulle émotion[2] cet aveu ne vous porte :
    Vous avez bien voulu les choses de la sorte.
    Vos attraits m'avaient pris, et mes tendres soupirs
    Vous ont assez prouvé l'ardeur de mes désirs ;
    Mon cœur vous consacrait une flamme immortelle ;
140 Mais vos yeux n'ont pas cru leur conquête assez belle.
    J'ai souffert sous leur joug cent mépris différents :
    Ils régnaient sur mon âme* en superbes[3] tyrans ;
    Et je me suis cherché, lassé de tant de peines,
    Des vainqueurs plus humains et de moins rudes chaînes.
    (Montrant Henriette.)
145 Je les ai rencontrés, madame, dans ces yeux,
    Et leurs traits à jamais me seront précieux ;
    D'un regard pitoyable[4] ils ont séché mes larmes
    Et n'ont pas dédaigné le rebut[5] de vos charmes.
    De si rares bontés m'ont si bien su toucher
150 Qu'il n'est rien qui me puisse à mes fers arracher ;
    Et j'ose maintenant vous conjurer, madame,
    De ne vouloir tenter nul effort sur ma flamme,
    De ne point essayer à rappeler un cœur
    Résolu de mourir dans cette douce ardeur.

ARMANDE

155 Hé ! qui vous dit, monsieur, que l'on[6] ait cette envie,
    Et que de vous enfin si fort on se soucie ?

---

1. Voir vers 51 et la note ; 2. *Emotion :* mouvement d'humeur. Clitandre prévoit ou remarque le mécontentement d'Armande ; 3. *Superbe :* d'une fierté insolente. Clitandre utilise les périphrases habituelles du langage galant ; 4. *Pitoyable :* qui a pitié (sens actif) ; 5. Ce que vos charmes ont rebuté ; 6. *On* peut remplacer, dans la langue familière, un pronom personnel de l'une des trois personnes ; mais il donne à la phrase une nuance tantôt ironique, tantôt affectueuse.

——— **QUESTIONS** ———

● Vers 129-154. Composition de cette tirade. Comparez-en la netteté avec celle d'Henriette au début de la scène. — La prière de Clitandre aux vers 151-154 prouverait-elle qu'il craint de redevenir amoureux d'Armande ? Quelle situation veut-il surtout éviter ? — Le langage de Clitandre : étudiez le vocabulaire et les images de la langue galante ; quelle impression pouvait faire Clitandre sur les spectateurs du xviie siècle ? — Que prouve la parfaite concordance d'intention et de ton entre Clitandre et Henriette ? N'y a-t-il pas même une certaine brutalité chez Clitandre ?

Je vous trouve plaisant de vous le figurer,
Et bien impertinent de me le déclarer.

HENRIETTE

Hé! doucement, ma sœur. Où donc est la morale
160 Qui sait si bien régir la partie animale*
Et retenir la bride aux efforts du courroux?

ARMANDE

Mais vous, qui m'en parlez, où la pratiquez-vous,
De répondre à l'amour que l'on vous fait paraître
Sans le congé[1] de ceux qui vous ont donné l'être?
165 Sachez que le devoir vous soumet à leurs lois,
Qu'il ne vous est permis d'aimer que par leur choix,
Qu'ils ont sur votre cœur l'autorité suprême,
Et qu'il est criminel d'en disposer vous-même.

HENRIETTE

Je rends grâce aux bontés que vous me faites voir
170 De m'enseigner si bien les choses du devoir.
Mon cœur sur vos leçons veut régler sa conduite;
Et, pour vous faire voir, ma sœur, que j'en profite,
Clitandre, prenez soin d'appuyer votre amour[2]
De l'agrément de ceux dont j'ai reçu le jour;
175 Faites-vous sur mes vœux un pouvoir légitime[3]
Et me donnez[4] moyen de vous aimer sans crime.

CLITANDRE

J'y vais de tous mes soins travailler hautement,
Et j'attendais de vous ce doux consentement.

---

1. *Le congé* : la permission; 2. Rendre votre amour plus fort en prenant l'appui de...; 3. Obtenez le droit légitime de répondre à mon souhait; 4. Voir vers 41 et la note.

─────── QUESTIONS ───────

● VERS 155-178. Comparez la réaction d'Armande (vers 155-158) à celle d'Arsinoé dans *le Misanthrope* (acte V, scène IV, vers 1723-1732). Est-ce la seule analogie que l'on puisse trouver entre les deux personnages? Montrez que le ton du vers 155 est très différent de celui du vers 125. — Comment Henriette exploite-t-elle la querelle qui s'envenime entre Clitandre et Armande? — Quelle maladresse commet Armande aux vers 164-169? Comment permet-elle à Henriette de triompher? A supposer que Clitandre ait encore hésité à demander la main d'Henriette, peut-il maintenant différer sa demande?

ARMANDE

Vous triomphez, ma sœur, et faites une mine
180 A vous imaginer[1] que cela me chagrine.

HENRIETTE

Moi, ma sœur? point du tout. Je sais que sur vos sens*
Les droits de la raison* sont toujours tout-puissants,
Et que, par les leçons qu'on prend dans la sagesse,
Vous êtes au-dessus d'une telle faiblesse*,
185 Loin de vous soupçonner d'aucun chagrin[2], je croi[3]
Qu'ici vous daignerez vous employer pour moi,
Appuyer sa demande et de votre suffrage
Presser l'heureux moment de notre mariage.
Je vous en sollicite; et, pour y travailler...

ARMANDE

190 Votre petit esprit* se mêle de railler,
Et d'un cœur qu'on vous jette on vous voit toute fière.

HENRIETTE

Tout jeté qu'est ce cœur, il ne vous déplaît guère;
Et si vos yeux sur moi le pouvaient ramasser,
Ils prendraient aisément le soin de se baisser.

ARMANDE

195 A répondre à cela je ne daigne descendre,
Et ce sont sots* discours qu'il ne faut pas entendre.

HENRIETTE

C'est fort bien fait à vous, et vous nous faites voir

---

1. A faire croire que vous vous imaginez (tournure elliptique) ; 2. *Chagrin :* mauvaise humeur, sans idée de tristesse ou d'ennui ; 3. Voir vers 113 et la note.

─────── **QUESTIONS** ───────

● Vers 179-198. Montrez que le ton change au vers 179. Comment Armande veut-elle garder le dessus ? Henriette ne continue-t-elle pas le même jeu vis-à-vis d'Armande ? Cherchez ce qui exprime la dérision dans sa réplique (vers 181-189). Ne marque-t-elle pas un acharnement un peu excessif ? Cette attitude prouve-t-elle l'assurance ou bien est-ce l'expression d'un sentiment d'infériorité ? — Montrez la progression de la colère chez Armande. Quel rôle y joue le mépris (vers 190-191 et 195-196) ? — En reprenant et en poursuivant la métaphore du « cœur jeté » (vers 192), Henriette veut-elle se moquer de sa sœur ou la battre sur son propre terrain ?

Des modérations[1] qu'on ne peut concevoir.

SCÈNE III. — CLITANDRE, HENRIETTE.

HENRIETTE

Votre sincère aveu ne l'a pas peu surprise.

CLITANDRE

200 Elle mérite assez[2] une telle franchise,
Et toutes les hauteurs de sa folle fierté
Sont dignes tout au moins[3] de ma sincérité.
Mais puisqu'il m'est permis, je vais à votre père,
Madame...

HENRIETTE

Le plus sûr est de gagner ma mère :
205 Mon père est d'une humeur[4] à consentir à tout,
Mais il met peu de poids aux choses qu'il résout;
Il a reçu du ciel certaine bonté d'âme
Qui le soumet d'abord[5] à ce que veut sa femme;
C'est elle qui gouverne, et d'un ton absolu
210 Elle dicte pour loi ce qu'elle a résolu.
Je voudrais bien vous voir pour elle et pour ma tante
Une âme*, je l'avoue, un peu plus complaisante,
Un esprit* qui, flattant les visions[6] du leur,
Vous pût de leur estime attirer la chaleur.

---

1. *Des modérations* : des témoignages de modération. Le mot abstrait prend au pluriel un sens plus concret; même remarque pour *hauteurs* (vers 201); 2. *Assez* : beaucoup; 3. *Tout au moins* : pour le moins; 4. L'*humeur* est l'ensemble des qualités nées du tempérament physique d'une personne (et non, comme aujourd'hui, une disposition passagère); 5. *D'abord* : dès l'abord, dès le début; 6. *Les visions* : les idées chimériques.

— ■ QUESTIONS ─────

■ SUR L'ENSEMBLE DE LA SCÈNE II. — Quels éléments nouveaux cette scène apporte-t-elle pour l'action? Quel problème, traditionnel dans la comédie bourgeoise, se trouve posé?
— Précisez le portrait des deux sœurs. Henriette nous paraît-elle aussi sympathique qu'après la première scène? Le caractère de Clitandre.
— Portée comique de cette scène.

● VERS 199-214. Soulignez l'accent de triomphe du vers 199. — La réponse de Clitandre dénote-t-elle un caractère passionné? Ne semble-t-il pas vouloir couper court aux commentaires? Pourquoi? — Qu'apprenons-nous (vers 204-214) sur le père d'Henriette? sur sa mère? Cette attitude critique de la jeune fille n'est-elle pas un peu surprenante si l'on tient compte des mœurs du temps? Appréciez les conseils « diplomatiques » qu'elle donne à Clitandre.

CLITANDRE

215 Mon cœur n'a jamais pu, tant il est né sincère,
Même dans votre sœur flatter leur caractère,
Et les femmes docteurs¹* ne sont point de mon goût.
Je consens qu'une femme ait des clartés²* de tout,
Mais je ne lui veux point la passion choquante
220 De se rendre savante* afin d'être savante* ;
Et j'aime que souvent, aux questions qu'on fait,
Elle sache ignorer les choses qu'elle sait ;
De son étude* enfin je veux qu'elle se cache,
Et qu'elle ait du savoir* sans vouloir qu'on le sache,
225 Sans citer les auteurs, sans dire de grands mots
Et clouer de l'esprit* à ses moindres propos.
Je respecte beaucoup madame votre mère,
Mais je ne puis du tout approuver sa chimère
Et me rendre l'écho des choses qu'elle dit,
230 Aux encens³ qu'elle donne à son héros d'esprit*.
Son monsieur Trissotin me chagrine⁴, m'assomme,
Et j'enrage de voir qu'elle estime un tel homme,
Qu'elle nous mette au rang des grands et beaux esprits*
Un benêt dont partout on siffle les écrits,
235 Un pédant* dont on voit la plume libérale⁵
D'officieux papiers⁶ fournir toute la halle⁷.

---

1. Le grade de *docteur* est le grade le plus élevé décerné par les facultés ;
mais il ne pouvait être question au xviie siècle de l'accorder aux femmes.
Une femme aussi savante qu'un docteur sort de son rôle ; 2. *Clarté* : voir
vers 40 et la note ; 3. A l'occasion des louanges flatteuses ; 4. *Chagriner* : aga-
cer, mettre de mauvaise humeur ; 5. *Libérale* : généreuse ; 6. *D'officieux
papiers* : de papiers qui peuvent avoir toutes sortes d'utilité, en particulier
celle d'envelopper les marchandises ; 7. *La halle* : le bâtiment où se tient le
marché.

QUESTIONS

● Vers 215-236. Composition de cette tirade. Son importance pour
le sujet de la pièce : comment Molière guide-t-il le spectateur vers le
problème qui est au centre de la comédie ? — Montrez que l'on sent
Molière derrière son personnage : ton mesuré ; souci des nuances ;
idées exprimées. Molière est-il opposé à l'éducation des femmes ?
Quelles limites y donne-t-il ? Appréciez-les en fonction de la civilisation
de l'époque. — Sur qui dévie la critique (vers 230) ? Est-ce par hasard ?
Pourquoi Clitandre a-t-il tant d'aversion pour Trissotin ? — Montrez
l'ironie des vers 235-236 ; cherchez dans les *Satires III* et *IX* de Boileau
l'utilisation de la même malice.

HENRIETTE

Ses écrits, ses discours, tout m'en semble ennuyeux,
Et je me trouve assez votre goût et vos yeux;
Mais, comme sur ma mère il a grande puissance,
240 Vous devez vous forcer à quelque complaisance.
Un amant fait sa cour où s'attache son cœur;
Il veut de tout le monde y gagner la faveur,
Et, pour n'avoir personne à sa flamme contraire,
Jusqu'au chien du logis il s'efforce de plaire.

CLITANDRE

245 Oui, vous avez raison; mais monsieur Trissotin
M'inspire au fond de l'âme* un dominant chagrin[1].
Je ne puis consentir, pour gagner ses suffrages,
A me déshonorer en prisant[2] ses ouvrages;
C'est par eux qu'à mes yeux il a d'abord paru,
250 Et je le connaissais avant que[3] l'avoir vu.
Je vis, dans le fatras des écrits qu'il nous donne,
Ce qu'étale en tous lieux sa pédante* personne,
La constante hauteur de sa présomption,
Cette intrépidité de bonne opinion[4],
255 Cet indolent[5] état de confiance extrême
Qui le rend en tout temps si content de soi-même,
Qui fait qu'à son mérite incessamment il rit,
Qu'il se sait si bon gré de tout ce qu'il écrit,
Et qu'il ne voudrait pas changer sa renommée
260 Contre tous les honneurs d'un général d'armée.

HENRIETTE

C'est avoir de bons yeux que de voir tout cela.

CLITANDRE

Jusques à sa figure encor la chose alla[6],
Et je vis, par les vers qu'à la tête il nous jette,
De quel air il fallait que fût fait le poète;

---

1. *Un dominant chagrin* : une mauvaise humeur plus forte que tout autre
sentiment; 2. *Priser* : estimer; 3. On trouve, dans la langue du XVIIe siècle,
avant que aussi bien qu'*avant que de* ou *avant que de* devant un infinitif; 4. Cette
assurance sans crainte avec laquelle il garde bonne opinion de lui-même;
5. *Indolent* : sans inquiétude, plein d'une tranquille certitude (et non pas,
comme aujourd'hui, indifférent, nonchalant); 6. Clitandre alla jusqu'à deviner,
en lisant seulement les vers de Trissotin, les traits de son visage. L'expression
est développée par les vers suivants.

265 Et j'en avais si bien deviné tous les traits
Que, rencontrant un homme un jour dans le Palais[1],
Je gageai que c'était Trissotin en personne,
Et je vis qu'en effet la gageure était bonne.

HENRIETTE

Quel conte!

CLITANDRE

Non : je dis la chose comme elle est.
270 Mais je vois votre tante. Agréez, s'il vous plaît,
Que mon cœur lui déclare ici notre mystère
Et gagne sa faveur auprès de votre mère.

Scène IV. — CLITANDRE, BÉLISE.

CLITANDRE

Souffrez, pour vous parler, madame, qu'un amant[2]
Prenne l'occasion de cet heureux moment
275 Et se découvre à vous de la sincère flamme...

---

1. Le Palais de Justice, dont les galeries étaient garnies de boutiques, en particulier de boutiques de libraires. C'était un lieu de promenade où se rencontraient gens du monde et écrivains ; 2. *Un amant :* un amoureux.

——— QUESTIONS ———

● Vers 237-268. N'y a-t-il pas chez Henriette une certaine duplicité ? Cherchez ce qui l'excuse. Est-ce compréhensible ? inquiétant ? Soulignez le mépris et la dureté du vers 244. — L'art du portrait chez Clitandre. Comparez avec Célimène dans *le Misanthrope* (acte II, scène IV). Quelles différences de ton, de portée voyez-vous ? — Savons-nous déjà pourquoi l'on s'attarde tant à un personnage qui paraît si méprisable ? Quel relief celui-ci en retire-t-il ?
● Vers 269-272. Comment s'enchaînent les scènes ? Rapprochez le vers 270 des vers 119-120. — Henriette a-t-elle persuadé Clitandre de la nécessité d'être habile ?

■ Sur l'ensemble de la scène III. — Montrez que cette scène est un bilan : quels sont les alliés et quels sont les ennemis du jeune couple ?
— Ce jeune couple vous paraît-il passionné ou raisonnable ?
— Quels sont les avantages et les inconvénients du programme d'éducation que propose Clitandre ? Ce programme serait-il aujourd'hui acceptable et même possible (vers 218) ?
— Cette scène n'est-elle pas, dans l'ensemble, sérieuse ? Relevez pourtant les passages plaisants.
— Etudiez le premier portrait de Trissotin : quel trait du personnage met-il en relief ? Pourquoi ce portrait est-il vivant ? Peut-il être de bonne foi ? Montrez qu'il renseigne lui-même sur les éléments nouveaux du caractère de Clitandre. Comparez avec ce que Boileau dit de l'abbé Cotin à la *Satire IX*.

BÉLISE

Ah! tout beau![1] Gardez-vous de m'ouvrir trop votre âme.
Si je vous ai su mettre au rang de mes amants,
Contentez-vous des yeux pour vos seuls truchements[2],
Et ne m'expliquez point par un autre langage
280 Des désirs qui chez moi[3] passent pour un outrage.
Aimez-moi, soupirez, brûlez pour mes appas;
Mais qu'il me soit permis de ne le savoir pas.
Je puis fermer les yeux sur vos flammes secrètes,
Tant que vous vous tiendrez aux muets interprètes;
285 Mais, si la bouche vient à s'en vouloir mêler,
Pour jamais de ma vue il vous faut exiler.

CLITANDRE

Des projets de mon cœur ne prenez point d'alarme.
Henriette, madame, est l'objet[4] qui me charme,
Et je viens ardemment conjurer vos bontés
290 De seconder l'amour que j'ai pour ses beautés.

BÉLISE

Ah! certes, le détour est d'esprit*, je l'avoue.
Ce subtil faux-fuyant mérite qu'on le loue;
Et, dans tous les romans[5] où j'ai jeté les yeux,
Je n'ai rien rencontré de plus ingénieux.

CLITANDRE

295 Ceci n'est point du tout un trait d'esprit*, madame,
Et c'est un pur aveu de ce que j'ai dans l'âme*.
Les cieux, par les liens d'une immuable ardeur,
Aux beautés d'Henriette ont attaché mon cœur;

---

1. *Tout beau!* : doucement! Formule de protestation qui avait appartenu au langage noble (*Polyeucte*, vers 1216, et *Horace*, vers 1009) ; 2. *Truchement* : interprète. Même image reprise vers 284 ; 3. *Chez moi* : à mon point de vue ; 4. *Objet* : la personne à qui s'adresse le sentiment amoureux (vocabulaire galant) ; 5. Les subtilités sentimentales étaient de mode dans *l'Astrée* d'Honoré d'Urfé, dans la *Clélie* et *le Grand Cyrus* de Mlle de Scudéry.

━━━━━ **QUESTIONS** ━━━━━

● VERS 273-286. A quoi tient le comique de ce début? Montrez la vraisemblance du quiproquo. La démarche de Clitandre, qui connaît bien Bélise, vous paraît-elle naturelle? Comment la justifier? — Le langage de Bélise : analysez dans sa première tirade (vers 276-288) le vocabulaire de la passion amoureuse. A quelle conception romanesque de l'amour Bélise est-elle attachée? — L'effet comique, surtout si on tient compte de l'âge et de l'apparence physique du personnage.

Henriette me tient sous son aimable empire,
300 Et l'hymen d'Henriette est le bien où j'aspire.
Vous y pouvez beaucoup, et tout ce que je veux,
C'est que vous y¹ daigniez favoriser mes vœux.

BÉLISE

Je vois où doucement veut aller la demande,
Et je sais sous ce nom ce qu'il faut que j'entende.
305 La figure² est adroite et, pour n'en point sortir,
Aux choses³ que mon cœur m'offre à vous repartir,
Je dirai qu'Henriette à l'hymen est rebelle,
Et que sans rien prétendre il faut brûler pour elle.

CLITANDRE

Eh! madame, à quoi bon un pareil embarras⁴?
310 Et pourquoi voulez-vous penser ce qui n'est pas?

BÉLISE

Mon Dieu, point de façons : cessez de vous défendre
De ce que vos regards m'ont souvent fait entendre.
Il suffit que l'on⁵ est⁶ contente du détour
Dont s'est adroitement avisé votre amour,
315 Et que, sous la figure où le respect l'engage,
On veut bien se résoudre à souffrir son hommage,
Pourvu que ses transports⁷, par l'honneur éclairés,
N'offrent à mes autels⁸ que des vœux épurés*.

---

1. *Y :* en cela ; 2. *La figure :* l'image, le symbole ; 3. *Aux choses :* parmi les choses ; 4. *Embarras :* complication ; 5. Voir vers 155 et la note ; 6. Le subjonctif est obligatoire aujourd'hui après *il suffit ;* le français classique admet l'indicatif quand il s'agit, comme ici, d'un résultat bien réel ; 7. Les *transports* sont toutes les manifestations du sentiment amoureux (vocabulaire galant) ; 8. L'amour précieux divinise la personne aimée (voir vers 104, Armande parlant d'*adorateur*) ; on lui adresse des *vœux,* c'est-à-dire des prières.

QUESTIONS

● Vers 287-308. Montrez l'insistance de Clitandre, dans ses deux répliques, pour dénouer le quiproquo. Expliquez la répétition du mot *Henriette* (vers 288, 298, 299) : les nuances du ton sur lequel ce mot est employé. — Etudiez le mécanisme qui prolonge le quiproquo : montrez que l'effet comique vient non de la situation des personnages, mais de l'obstination chimérique de Bélise. Quel rôle joue également ici le comique de répétition ? — Comparez Bélise à Armande telle qu'elle apparaît aux vers 109-112 et 114-116 : quelle ressemblance entre la tante et la nièce ? A propos du vers 293 (l'influence des romans), rapprochez Bélise de la Magdelon des *Précieuses ridicules.*
● Vers 309-318. Imaginez l'état d'esprit de Clitandre aux vers 309-310. Quel effet produit l'entêtement de Bélise ? Que signifient les vers 311-318 ? Montrez que le dialogue revient à son point de départ.

CLITANDRE

Mais...

BÉLISE

Adieu. Pour ce coup, ceci doit vous suffire,
320 Et je vous ai plus dit que je ne voulais dire.

CLITANDRE

Mais votre erreur...

BÉLISE

Laissez. Je rougis maintenant
Et ma pudeur s'est fait un effort surprenant.

CLITANDRE

Je veux être pendu si je vous aime, et sage...

BÉLISE

Non, non, je ne veux rien entendre davantage.
(*Elle sort.*)

CLITANDRE

325 Diantre[1] soit de la folle avec ses visions[2]!
A-t-on rien vu d'égal à ses préventions[3]?
Allons commettre un autre au soin[4] que l'on me donne,
Et prenons le secours d'une sage personne.

---

1. *Diantre :* euphémisme pour diable; 2. Voir vers 213 et la note; 3. *Préventions :* idées préconçues; 4. Charger un autre du soin.

———— **QUESTIONS** ————

● Vers 319-328. Le rythme de cette fin de scène : imaginez les attitudes et les gestes des deux personnages. — Justifiez la sortie de Bélise. Dans quelle mesure cette « vieille folle » se joue-t-elle à elle-même la comédie ? Quelle importance ont les deux derniers vers ?

■ Sur l'ensemble de la scène IV. — Montrez que le quiproquo sur lequel est fondée cette scène est en rapport avec un trait de caractère. Comment Molière a-t-il su exploiter le procédé d'une façon originale ? L'évolution de la scène.

— Quel est le trait de caractère le plus important chez Bélise ? Montrez que son style s'accorde avec ses goûts (vers 284-293 en particulier).

— Utilité de cette scène. Sur quelle impression se termine cet acte ?

■ Sur l'ensemble de l'acte premier. — La situation : quel est le problème ? Quels sont les partis en présence ? Evaluez leurs forces respectives.

— Dans quel genre de comédie sommes-nous ? Montrez que l'intérêt se déplace selon les scènes, tout en laissant, tantôt au premier plan et tantôt en arrière-plan, ce qui justifie le titre de la pièce.

— Les personnages : quelles sont les deux « femmes savantes » connues jusqu'ici ? Ressemblances et différences entre elles. Montrez l'harmonie de Clitandre et d'Henriette. Lequel des deux personnages vous est le plus sympathique ?

FRONTISPICE DE L'ÉDITION DE 1682

Le renvoi de Martine.

LA GÉOMÉTRIE

Dessin de Bonnart (fin du XVIIᵉ siècle).

Cette figure allégorique, vêtue à la mode du temps, ne pouvait que flatter les prétentions scientifiques de certaines femmes.

ACTE II

Scène première. — ARISTE.

ARISTE

Oui, je vous porterai la réponse au plus tôt.
330 J'appuierai, presserai, ferai tout ce qu'il faut.
Qu'un amant, pour un mot, a de choses à dire,
Et qu'impatiemment il veut ce qu'il désire!
Jamais...

Scène II. — CHRYSALE, ARISTE.

ARISTE

Ah! Dieu vous gard'[1], mon frère.

CHRYSALE

Et vous aussi,

Mon frère.

ARISTE

Savez-vous ce qui m'amène ici?

CHRYSALE

335 Non; mais si vous voulez, je suis prêt à l'apprendre.

ARISTE

Depuis assez longtemps vous connaissez Clitandre?

CHRYSALE

Sans doute, et je le vois qui fréquente chez nous.

ARISTE

En quelle estime[2] est-il, mon frère, auprès de vous?

---

1. Orthographe ancienne conservée jusqu'au XVIIᵉ siècle dans des expressions traditionnelles (ici, formule de salut); 2. *Estime :* « Bonne ou mauvaise opinion qu'on a d'une personne ou d'une chose » (*Dictionnaire* de Furetière).

■ QUESTIONS

■ Sur la scène première. — Que s'est-il passé pendant l'entracte? A qui s'adresse Ariste, ici (voir vers 327-328)? Quelle est l'utilité dramatique de cette courte scène?

CHRYSALE

D'homme d'honneur, d'esprit*, de cœur, et de conduite[1];
340 Et je vois peu de gens qui soient de son mérite.

ARISTE

Certain désir qu'il a conduit ici mes pas,
Et je me réjouis que vous en fassiez cas.

CHRYSALE

Je connus feu son père en mon voyage à Rome.

ARISTE

Fort bien.

CHRYSALE

      C'était, mon frère, un fort bon gentilhomme.

ARISTE

345 On le dit.

CHRYSALE

      Nous n'avions alors que vingt-huit ans,
Et nous étions, ma foi, tous deux de verts galants[2].

ARISTE

Je le crois.

CHRYSALE

      Nous donnions chez[3] les dames romaines.
Et tout le monde là parlait de nos fredaines;
Nous faisions des jaloux.

ARISTE

      Voilà qui va des mieux[4].

---

  1. *Conduite* : sagesse, esprit de suite; **2.** *Vert galant* : jeune homme gai et vigoureux, qui aime la vie et les plaisirs de l'amour; **3.** *Donner chez* : être entraîné par inclination vers quelqu'un (voir *donner dans* : être entraîné par goût vers quelque chose); **4.** Qui fait partie des choses qui vont au mieux (construction elliptique).

─────── **QUESTIONS** ───────

● VERS 333-342. Comment cette scène est-elle liée à la précédente? Quel premier trait de caractère apparaît ici chez Chrysale? — Comparez le personnage à ce qu'en disait Henriette (acte premier, scène III, vers 205-210). — La mission d'Ariste s'annonce-t-elle difficile?

350 Mais venons au sujet qui m'amène en ces lieux.

Scène III. — BÉLISE, *entrant doucement et écoutant;*
CHRYSALE, ARISTE.

ARISTE

Clitandre auprès de vous me fait son interprète,
Et son cœur est épris des grâces d'Henriette.

CHRYSALE

Quoi! de ma fille?

ARISTE

Oui[1]; Clitandre en est charmé,
Et je ne vis jamais amant plus enflammé.

BÉLISE, *à Ariste.*

355 Non, non, je vous entends. Vous ignorez l'histoire,
Et l'affaire n'est pas ce que vous pouvez croire.

ARISTE

Comment, ma sœur?

BÉLISE

Clitandre abuse vos esprits,
Et c'est d'un autre objet[2] que son cœur est épris.

ARISTE

Vous raillez. Ce n'est pas Henriette qu'il aime?

1. *Oui* compte ici, comme partout ailleurs, pour une syllabe, mais l'*e*
de *fille* n'est pas élidé à cause de la pause qui suit l'interrogation; 2. Voir
vers 288 et la note.

─────── ● QUESTIONS ───────

● Vers 343-350. Quel autre aspect de Chrysale se révèle ici? Sommes-
nous surpris? Pourquoi évoque-t-il ces souvenirs? Montrez l'utilité de
cette digression.

■ Sur l'ensemble de la scène II. — Le personnage d'Ariste a-t-il pour
seule utilité d'être le « sage » de la pièce et de préparer le dénouement?
Comparez-le à Cléante en face d'Orgon (*le Tartuffe,* acte premier,
scène v); sa tâche est-elle plus facile?
— Montrez que Chrysale révèle deux aspects intéressants de sa
personnalité. Le deuxième aspect a-t-il la seule valeur d'être un aveu?
Le regret qu'il exprime au vers 345 ne trahit-il pas le drame de sa vie?

● Vers 351-354. Comment s'enchaînent les deux scènes? Est-ce un
procédé courant? La surprise de Chrysale (vers 353) est-elle naturelle
ou révèle-t-elle un trait de son caractère? N'y a-t-il pas une légère
malice dans les vers 353-354 si on les rapproche de la scène II de l'acte
premier?

BÉLISE

360 Non, j'en suis assurée.

ARISTE

Il me l'a dit lui-même.

BÉLISE

Eh! oui.

ARISTE

Vous me voyez, ma sœur, chargé par lui
D'en faire la demande à son père aujourd'hui.

BÉLISE

Fort bien.

ARISTE

Et son amour même m'a fait instance[1]
De presser les moments d'une telle alliance.

BÉLISE

365 Encor mieux. On ne peut tromper plus galamment.
Henriette, entre nous, est un amusement,
Un voile ingénieux, un prétexte, mon frère,
A couvrir d'autres feux dont je sais le mystère,
Et je veux bien tous deux vous mettre hors d'erreur.

ARISTE

370 Mais puisque vous savez tant de choses, ma sœur,
Dites-nous, s'il vous plaît, cet autre objet qu'il aime.

BÉLISE

Vous le voulez savoir?

ARISTE

Oui. Quoi?

BÉLISE

Moi.

---

1. *Faire instance :* demander d'une manière urgente.

QUESTIONS

● VERS 355-369. Quel effet produit sur le spectateur l'intrusion de Bélise dans cette conversation? Peut-on deviner ce qu'elle va dire? Comment se marque la tranquille assurance de Bélise? Montrez que sa certitude surprend, puis ébranle Ariste.

ARISTE

Vous?

BÉLISE

Moi-même.

ARISTE

Hai[1], ma sœur!

BÉLISE

Qu'est-ce donc que veut dire ce hai?
Et qu'a de surprenant le discours que je fais?
375 On[2] est faite d'un air[3], je pense, à pouvoir dire
Qu'on n'a pas pour un cœur[4] soumis à son empire;
Et Dorante, Damis, Cléonte et Lycidas[5]
Peuvent bien faire voir qu'on a quelques appas.

ARISTE

Ces gens vous aiment?

BÉLISE

Oui, de toute leur puissance.

ARISTE

380 Ils vous l'ont dit?

BÉLISE

Aucun n'a pris cette licence[6] :
Ils m'ont su révérer si fort jusqu'à ce jour
Qu'ils ne m'ont jamais dit un mot de leur amour.
Mais, pour m'offrir leur cœur et vouer leur service,
Les muets truchements[7] ont tous fait leur office.

---

1. *Hai !* : exclamation qui marque ici l'étonnement amusé (a les mêmes sens que l'exclamation *hé*); 2. Voir vers 155 et la note; 3. *Un air* : « Une certaine manière que l'on a dans les exercices du corps, dans la façon d'agir » (*Dictionnaire de l'Académie*, 1694); 4. *Pour un cœur* : pour un cœur seulement. Dans cette expression, *pour* signifie « la valeur de ». Sens de l'ensemble du vers : que ce n'est pas seulement un cœur qu'on a soumis à son empire; 5. Personnages auxquels il ne sera plus fait allusion par la suite; ils portent les noms conventionnels des jeunes amoureux de comédie; on retrouve ces noms dans d'autres pièces de Molière; 6. *Licence :* liberté excessive; 7. Voir vers 278 et la note.

--- **QUESTIONS** ---

● Vers 370-391. La révélation de Bélise est-elle une surprise pour le spectateur? Pourquoi reste-t-elle comique? — Comparez ce mécanisme comique à celui de la scène IV de l'acte premier — Comment réagit Ariste (vers 373)? Gomment se marque l'indignation de Bélise (vers 373-378)? — Analysez l'ironie d'Ariste : n'y a-t-il pas aussi chez lui une certaine cruauté? — Ses sentiments à l'égard de la « vieille folle » de la famille : quel souvenir garde-t-il des aventures sentimentales de celle-ci? La valeur de conclusion du vers 391.

ARISTE

385 On ne voit presque point céans[1] venir Damis.

BÉLISE

C'est pour me faire voir un respect plus soumis.

ARISTE

De mots piquants partout Dorante vous outrage.

BÉLISE

Ce sont emportements d'une jalouse rage.

ARISTE

Cléonte et Lycidas ont pris femme tous deux.

BÉLISE

390 C'est par un désespoir où j'ai réduit leurs feux.

ARISTE

Ma foi, ma chère sœur, vision toute claire[2].

CHRYSALE, *à Bélise*.

De ces chimères-là vous devez[3] vous défaire.

BÉLISE

Ah! chimères? Ce sont des chimères, dit-on?
Chimères, moi? Vraiment, chimères est fort bon!
395 Je me réjouis fort de chimères, mes frères,
Et je ne savais pas que j'eusse des chimères.

---

1. *Céans* : ici, à l'intérieur de la maison ; 2. Illusion manifestement extravagante (voir vers 213 et la note) ; 3. *Vous devez* : vous devriez. Les verbes exprimant une nécessité, une convenance, une possibilité pouvaient prendre, au présent et à l'imparfait de l'indicatif, la valeur d'un conditionnel.

━━━ QUESTIONS ━━━

● VERS 392-396. Comment interprétez-vous le silence de Chrysale jusqu'au vers 392 ? — Qu'apporte son intervention ? — La répétition du mot *chimères* par Bélise : valeur comique ; mot de caractère ; jeu de mine qui l'accompagne.

■ SUR L'ENSEMBLE DE LA SCÈNE III. — Montrez que cette scène prolonge et justifie la scène IV de l'acte premier. Quelle perspective ouvre cette scène sur le passé de Bélise ? sur la vie de famille dans la maison de Chrysale ?
— En quoi les « visions » de Bélise s'accommodent-elles de logique ? Etudiez les réponses qu'elle fait à Ariste. Est-elle heureuse ou malheureuse ? De quoi est fait son bonheur ? Comment ses frères la jugent-ils ? En est-elle vexée ?

Scène IV. — CHRYSALE, ARISTE.

CHRYSALE

Notre sœur est folle, oui.

ARISTE

                  Cela croît tous les jours.
Mais encore une fois, reprenons le discours[1].
Clitandre vous demande Henriette pour femme :
400 Voyez quelle réponse on doit faire à sa flamme.

CHRYSALE

Faut-il le demander? J'y consens de bon cœur,
Et tiens son alliance à singulier honneur.

ARISTE

Vous savez que de bien il n'a pas l'abondance,
Que...

CHRYSALE

    C'est un intérêt[2] qui n'est pas d'importance :
405 Il est riche en vertu, cela vaut des trésors;
Et puis son père et moi n'étions qu'un en deux corps.

ARISTE

Parlons à votre femme, et voyons à la rendre
Favorable...

CHRYSALE

       Il suffit, je l'accepte pour gendre.

ARISTE

Oui; mais, pour appuyer votre consentement,
410 Mon frère, il n'est pas mal d'avoir son agrément.
Allons...

CHRYSALE

     Vous moquez-vous? Il n'est pas nécessaire.

---

1. *Le discours :* l'entretien; 2. *Un intérêt :* un souci, une préoccupation.

—— **QUESTIONS** ——————————

● Vers 397-406. Les commentaires sur la scène précédente : comment chacun des deux personnages montre-t-il son caractère par la tournure et le ton de son commentaire? — S'attendait-on à voir Chrysale accorder un accueil si favorable à la demande d'Ariste? Quelle différence entre lui et d'autres pères de comédie?

Je réponds de ma femme, et prends sur moi l'affaire.

ARISTE

Mais...

CHRYSALE

Laissez faire, dis-je, et n'appréhendez pas.
Je la vais disposer aux choses de ce pas.

ARISTE

415 Soit. Je vais là-dessus sonder votre Henriette,
Et reviendrai savoir...

CHRYSALE

C'est une affaire faite.
Et je vais à ma femme en parler sans délai.

SCÈNE V. — MARTINE, CHRYSALE.

MARTINE

Me voilà bien chanceuse[1]! hélas! l'on dit bien vrai :
Qui veut noyer son chien l'accuse de la rage,
420 Et service d'autrui n'est pas un héritage.

CHRYSALE

Qu'est-ce donc? Qu'avez-vous, Martine?

MARTINE

Ce que j'ai?

_____

1. On dirait aujourd'hui : *voilà bien ma chance!*

──────── QUESTIONS ────────

● VERS 407-417. Le comique de cette fin de scène : le ton de Chrysale; son assurance et le peu d'importance qu'il attache à l'opinion de sa femme. Comparez cette attitude avec le portrait qu'Henriette a tracé de son père (acte premier, scène III). — Pourquoi Ariste est-il plus réticent? En fonction du caractère des deux frères, quel effet produit ce renversement?

■ SUR L'ENSEMBLE DE LA SCÈNE IV. — Pourquoi Molière situe-t-il cette scène à cette place? Quel effet veut-il produire?
— Pourquoi Chrysale coupe-t-il si souvent la parole à son frère? Son ton est-il catégorique ou hésitant? Importance du vers 412.
— Molière a souvent peint la vanité. De quelle vanité s'agit-il ici?

CHRYSALE

Oui.

MARTINE

J'ai que l'on me donne aujourd'hui mon congé,
Monsieur.

CHRYSALE

Votre congé?

MARTINE

Oui. Madame me chasse.

CHRYSALE

Je n'entends pas cela. Comment?

MARTINE

On me menace,
425 Si je ne sors d'ici, de me bailler[1] cent coups.

CHRYSALE

Non, vous demeurerez; je suis content de vous.
Ma femme bien souvent a la tête un peu chaude :
Et je ne veux pas, moi...

Scène VI. — PHILAMINTE, BÉLISE, CHRYSALE,
MARTINE.

PHILAMINTE, *apercevant Martine.*

Quoi! je vous vois, maraude!
Vite, sortez, friponne; allons, quittez ces lieux,
430 Et ne vous présentez jamais devant mes yeux.

─────────

1. *Bailler :* donner. Au temps de Molière, le mot, déjà vieilli, n'est conservé que par la langue populaire.

─────── QUESTIONS ───────

■ Sur la scène v. — Citez un personnage des *Plaideurs,* de Racine, qui invoque volontiers des proverbes. Pourquoi Martine en fait-elle autant? Expliquez le sens des vers 419 et 420. Montrez comment ils s'adaptent à la situation.

— En quoi consiste la bonté de Chrysale? Se révèle-t-il énergique, du moins en apparence?

— Quelles questions se pose le spectateur qui entend cette scène? Quand aura-t-il des réponses à ces questions?

CHRYSALE

Tout doux!

PHILAMINTE

Non, c'en est fait.

CHRYSALE

Eh!

PHILAMINTE

Je veux qu'elle sorte.

CHRYSALE

Mais qu'a-t-elle commis, pour vouloir[1] de la sorte...

PHILAMINTE

Quoi! vous la soutenez?

CHRYSALE

En aucune façon.

PHILAMINTE

Prenez-vous son parti contre moi?

CHRYSALE

Mon Dieu, non,
435 Je ne fais seulement que demander son crime.

PHILAMINTE

Suis-je pour la chasser[2] sans cause légitime?

CHRYSALE

Je ne dis pas cela; mais il faut de nos gens...

PHILAMINTE

Non, elle sortira, vous dis-je, de céans[3].

CHRYSALE

Hé bien, oui. Vous dit-on quelque chose là-contre[4]?

PHILAMINTE

440 Je ne veux point d'obstacle aux désirs que je montre.

---

1. Pour que vous vouliez. En français moderne, cet emploi de l'infinitif après une préposition n'est plus possible que si le verbe subordonné a le même sujet que le verbe à mode personnel dont il dépend; 2. Suis-je capable de la chasser; 3. Voir vers 385 et la note; 4. *Là-contre :* contre cela. Cette locution adverbiale a presque disparu, alors que *là-dessus, là-dedans, là-dessous* se sont maintenus dans la langue moderne.

CHRYSALE

D'accord.

PHILAMINTE

Et vous devez, en raisonnable époux,
Être pour moi contre elle et prendre[1] mon courroux.

CHRYSALE

Aussi fais-je[2].
    (Se tournant vers Martine.)
        Oui, ma femme avec raison vous chasse,
Coquine, et votre crime est indigne de grâce.

MARTINE

445 Qu'est-ce donc que j'ai fait?

CHRYSALE, bas.

           Ma foi, je ne sais pas.

PHILAMINTE

Elle est d'humeur[3] encore à n'en faire aucun cas.

CHRYSALE

A-t-elle, pour donner matière à votre haine,
Cassé quelque miroir ou quelque porcelaine[4]?

PHILAMINTE

Voudrais-je la chasser, et vous figurez-vous
450 Que pour si peu de chose on[5] se mette en courroux?

_____

1. *Prendre* : adopter, partager; 2. Aussi est-ce ce que je fais; 3. Voir vers 205 et la note; 4. Les miroirs, importés de Venise, et la porcelaine, importée de Chine, étaient fort coûteux. La première manufacture française de glaces sera créée à Saint-Gobain en 1685 et deviendra manufacture royale en 1692; on commencera à fabriquer de la porcelaine « artificielle » à Saint-Cloud en 1695, mais c'est seulement au xviiie siècle que sera créée la manufacture de Sèvres; 5. Voir vers 155 et la note.

_____

● **QUESTIONS** _____

● Vers 428-444. Comment se marque, dès la première réplique, le caractère autoritaire de Philaminte? Quel effet produit le rapprochement des vers 428-430 avec les derniers mots prononcés par Chrysale à la scène précédente? — La colère de Philaminte : pourquoi celle-ci n'explique-t-elle pas immédiatement le motif du renvoi de Martine? Que veut-elle obtenir avant tout de Chrysale? — Etudiez l'évolution de Chrysale vers la capitulation. N'arrive-t-on pas à un ridicule qui devient presque révoltant aux vers 443-444?

CHRYSALE

(A Martine.)   (A Philaminte.)
Qu'est-ce à dire? L'affaire est donc considérable?

PHILAMINTE

Sans doute. Me voit-on femme déraisonnable?

CHRYSALE

Est-ce qu'elle a laissé, d'un esprit négligent,
Dérober quelque aiguière ou quelque plat d'argent?

PHILAMINTE

455 Cela ne serait rien.

CHRYSALE, *à Martine.*

Oh! oh! Peste, la belle!
(A Philaminte.)
Quoi! l'avez-vous surprise à n'être pas fidèle[1]?

PHILAMINTE

C'est pis que tout cela.

CHRYSALE

Pis que tout cela?

PHILAMINTE

Pis.

CHRYSALE

Comment, diantre[2], friponne! Euh! a-t-elle commis...

PHILAMINTE

Elle a, d'une insolence à nulle autre pareille,
460 Après trente leçons, insulté[3] mon oreille

---

1. *Fidèle :* en qui on peut avoir confiance, honnête ; 2. Voir vers 325 et la note ; 3. *Insulter :* attaquer, assaillir (sens fort).

─────── **QUESTIONS** ───────

● VERS 445-458. L'effet comique du vers 445 : Chrysale a-t-il conscience de la situation absurde dans laquelle il se trouve? — Les motifs qu'imagine Chrysale au renvoi de Martine : à voir la progression de ses soupçons, imagine-t-on comment il conçoit, dans la vie quotidienne, son rôle de maître de maison? — Pourquoi Philaminte, une fois encore, laisse-t-elle se prolonger le jeu de la « devinette », sans dire immédiatement la vérité? Quel peut être son sentiment devant l'inquiétude croissante de Chrysale? — Importance du vers 450, quand on sait la rareté des miroirs à cette époque : les rôles ne sont-ils pas inversés?

Par l'impropriété d'un mot sauvage[1] et bas
Qu'en termes décisifs condamne Vaugelas[2].

CHRYSALE

Est-ce là...

PHILAMINTE

Quoi! toujours, malgré nos remontrances,
Heurter le fondement de toutes les sciences,
465 La grammaire, qui sait régenter jusqu'aux rois
Et les fait la main haute[3] obéir à ses lois[4]!

CHRYSALE

Du plus grand des forfaits je la croyais coupable.

PHILAMINTE

Quoi! vous ne trouvez pas ce crime impardonnable?

CHRYSALE

Si fait.

PHILAMINTE

Je voudrais bien que vous l'excusassiez[5]!

CHRYSALE

470 Je n'ai garde!

BÉLISE

Il est vrai que ce sont des pitiés[6] :
Toute construction est par elle détruite,
Et des lois du langage on l'a cent fois instruite.

---

1. *Sauvage* : grossier, barbare ; 2. *Vaugelas* : grammairien français (1585-1650). Il avait publié en 1647 des *Remarques sur la langue française* qui ne sont pas dogmatiques, mais qui proposent comme modèles la langue et les tournures qui sont en usage dans la « partie la plus saine de la Cour » et chez les bons auteurs. Molière ne condamne pas ici Vaugelas, mais bien l'interprétation qu'en tirent les esprits bornés et pédants ; 3. *La main haute* : sans effort. Terme d'équitation : le cavalier qui tient haute la main de la rêne gouverne aisément son cheval ; 4. Voir Vaugelas : « Il n'est permis à qui que ce soit de faire des mots nouveaux, pas même aux souverains » ; 5. Concordance des temps tout à fait correcte ; cet imparfait du subjonctif, qui peut faire sourire aujourd'hui, ne saurait être pris pour une expression ridicule du pédantisme de Philaminte ; 6. *Pitiés* : voir vers 198 et la note.

● QUESTIONS ●

● Vers 459-470. Analysez l'effet comique des vers 459-464 : le contraste entre les suppositions inquiètes de Chrysale et la réalité. Comment le ton et le vocabulaire de Philaminte accentuent-ils cette impression ? — La réaction de Chrysale : complétez la phrase amorcée au vers 463. Que peut-on espérer en lui entendant prononcer le vers 467 ? — Le nouvel effet comique des vers 469-470 : quel mécanisme psychologique succède à la réaction sincère et spontanée du vers 467 ? Chrysale peut-il d'ailleurs prendre une autre attitude (v. vers 443-444)?

MARTINE

Tout ce que vous prêchez est, je crois, bel et bon;
Mais je ne saurais, moi, parler votre jargon.

PHILAMINTE

475 L'impudente! Appeler un jargon le langage
Fondé sur la raison et sur le bel usage[1]!

MARTINE

Quand on se fait entendre[2], on parle toujours bien,
Et tous vos biaux[3] dictons[4] ne servent pas de rien.

PHILAMINTE

Hé bien, ne voilà pas encore de son style!
480 « Ne servent pas de rien! »

BÉLISE

O cervelle indocile!
Faut-il qu'avec les soins qu'on prend incessamment[5]
On ne te puisse apprendre à parler congrûment[6]!
De *pas* mis avec *rien* tu fais la récidive[7],
Et c'est, comme on t'a dit, trop d'une négative[8].

MARTINE

485 Mon Dieu! je n'avons pas étugué comme vous,
Et je parlons tout droit comme on parle cheux nous.

PHILAMINTE

Ah! peut-on y tenir?

BÉLISE

Quel solécisme[9] horrible!

PHILAMINTE

En voilà pour tuer une oreille sensible!

---

1. La raison et le bon usage sont les fondements du beau langage;
2. *Entendre :* comprendre ; 3. *Biaux :* beaux. Déformation dialectale qui,
comme certaines expressions des vers 485 et 486, donne au parler de Martine
sa saveur paysanne ; 4. *Dictons :* propos, discours (et non proverbes comme
aujourd'hui) ; 5. *Incessamment :* continuellement ; 6. *Congru :* correct en
matière de langage ; 7. *Récidive :* répétition qui constitue une faute ; 8. La
faute commise par Martine est toutefois, à cette époque, moins grave qu'elle
ne le serait aujourd'hui ; on trouve encore des textes littéraires où *ne... pas*
et *rien* (signifiant, à l'origine, « quelque chose ») sont associés : ainsi, dans
les Plaideurs, de Racine (vers 472) : « On ne veut pas rien faire ici qui vous
déplaise » ; 9. *Solécisme :* faute de syntaxe ; le mot avait été introduit récem-
ment dans la langue par les grammairiens.

Philaminte (Julia Bartet).   Henriette.

LES FEMMES SAVANTES à la Comédie-Française au début du XXᵉ siècle.

Bibliothèque de l'Arsenal. Fonds Rondel.

Ariste (Sylvain).   Bélise.   Chrysale.

BÉLISE

Ton esprit*, je l'avoue, est bien matériel*.
490 *Je* n'est qu'un singulier, *avons* est pluriel.
Veux-tu toute ta vie offenser la grammaire*?

MARTINE

Qui parle d'offenser grand'mère[1] ni grand-père?

PHILAMINTE

Ô ciel!

BÉLISE

Grammaire est prise[2] à contresens par toi,
Et je t'ai déjà dit d'où vient ce mot.

MARTINE

Ma foi,
495 Qu'il vienne de Chaillot, d'Auteuil ou de Pontoise,
Cela ne me fait rien.

BÉLISE

Quelle âme villageoise!
La grammaire, du verbe et du nominatif[3],
Comme de l'adjectif avec le substantif,
Nous enseigne les lois.

MARTINE

J'ai, madame, à vous dire
500 Que je ne connais point ces gens-là.

PHILAMINTE

Quel martyre!

BÉLISE

Ce sont les noms des mots, et l'on doit regarder
En quoi c'est qu'il les faut faire ensemble accorder.

---

1. L'erreur de Martine s'explique mieux si on se rappelle que l'on prononçait *granmaire;* le mot s'écrivit longtemps ainsi; 2. On dirait aujourd'hui : *est pris* (sous-entendu le mot *grammaire*); 3. *Nominatif :* cas sujet; terme technique de grammaire, qui se justifie surtout dans les langues qui comportent des déclinaisons à plusieurs cas; il n'a aucune utilité en grammaire française.

● QUESTIONS

● VERS 471-503. Pourquoi Bélise intervient-elle? Sa pédagogie; son pédantisme. — Le langage de Martine; est-ce toutefois le seul trait comique de Martine? Son ignorance est-elle de la sottise? Martine n'oppose-t-elle pas aussi ses principes (vers 477)? — Le rôle de Philaminte pendant cette partie de la scène : comment ses exclamations pathétiques contribuent-elles encore à renforcer le comique de contraste qui oppose Bélise à Martine?

MARTINE

Qu'ils s'accordent entre eux, ou se gourment¹, qu'importe?

PHILAMINTE, *à sa belle-sœur*.

Eh! mon Dieu, finissez un discours de la sorte.
   (*A son mari.*)
505 Vous ne voulez pas, vous, me la faire sortir?

CHRYSALE

   (*A part.*)

Si fait. A son caprice, il me faut consentir.
Va, ne l'irrite point; retire-toi, Martine.

PHILAMINTE

Comment! vous avez peur d'offenser la coquine?
Vous lui parlez d'un ton tout à fait obligeant!

CHRYSALE

   (*Haut.*)
510 Moi? point. Allons, sortez.

                              (*Bas.*)

                    Va-t'en, ma pauvre enfant.

_____

1. *Se gourmer* : se battre à coups de poing.

─────── QUESTIONS ───────

● VERS 504-510. Le ton de Philaminte aux vers 504-505. La discussion qui vient d'avoir lieu peut-elle lui avoir fait oublier son objectif? — Quelle complicité se tisse sous nos yeux entre Chrysale et Martine? Recherchez, dans leur caractère, une parenté qui rende plus solide ce rapprochement : quelles sont les préoccupations habituelles de Chrysale? Quelle est son opinion sur les « femmes savantes »? — Qu'y a-t-il d'émouvant dans le dernier vers? Pourquoi cependant ne restons-nous pas sur une impression pénible? Est-ce tellement Martine que l'on plaint?

■ SUR L'ENSEMBLE DE LA SCÈNE VI. — Composition de la scène : quelles sont les phases de la discussion.

— Il y a dans cette scène deux effets de surprise. Lesquels?

— Montrez qu'il y a dans cette scène un comique de composition, un comique de caractère et un comique de vocabulaire.

— Quel est le rôle exact de Bélise dans cette scène? Est-il vraiment le même que celui de Philaminte (comparez le vers 461 et le vers 483)? N'est-elle pas meilleure que celle-ci? Où le voit-on?

— Le comique rejaillit-il sur l'attitude de ceux qui s'intéressent à la grammaire? Est-ce une attaque contre l'action de Vaugelas?

SCÈNE VII. — PHILAMINTE, CHRYSALE, BÉLISE.

CHRYSALE

Vous êtes satisfaite, et la voilà partie ;
Mais je n'approuve point une telle sortie[1] :
C'est une fille propre aux choses qu'elle fait,
Et vous me la chassez pour un maigre sujet.

PHILAMINTE

515 Vous voulez que toujours je l'aie à mon service,
Pour mettre[2] incessamment[3] mon oreille au supplice,
Pour rompre toute loi d'usage et de raison[4]
Par un barbare amas de vices d'oraison[5],
De mots estropiés, cousus par intervalles,
520 De proverbes traînés dans les ruisseaux des halles ?

BÉLISE

Il est vrai que l'on sue à souffrir ses discours.
Elle y met Vaugelas[6] en pièces tous les jours ;
Et les moindres défauts de ce grossier génie[7]
Sont ou le pléonasme[8] ou la cacophonie[9].

CHRYSALE

525 Qu'importe qu'elle manque aux lois de Vaugelas,
Pourvu qu'à la cuisine elle ne manque pas ?

---

1. *Sortie* : une telle façon de la faire sortir ; 2. *Pour mettre* : pour qu'elle mette (voir vers 432 et la note) ; 3. Voir vers 481 et la note ; 4. Voir vers 476 et la note ; 5. *Oraison* : « Discours, assemblage de plusieurs paroles rangées avec ordre. En ce sens, il est terme de grammaire » (*Dictionnaire de l'Académie*, 1694) ; 6. *Vaugelas* : voir vers 462 et la note ; 7. *Génie* : voir vers 63 et la note ; 8. *Pléonasme* : répétition inutile de mots qui ont le même sens ; 9. *Cacophonie* : succession de mots dont les sons sont désagréables à l'oreille.

● **QUESTIONS** ―――――――――――

● VERS 511-524. L'attitude de Chrysale : montrez son souci de ne pas rendre les domestiques témoins des désaccords de son ménage. Est-ce là une attitude que nous attendions ? Se montre-t-il aussi passif qu'on pouvait le craindre d'après la scène précédente ? Appréciez la valeur de ses arguments. — Quel mépris transparaît chez Philaminte (vers 518-520) ? Les commentaires de Bélise : apporte-t-elle des éléments nouveaux ? Montrez qu'elle suit sa belle-sœur, sans plus. L'emploi de mots techniques a-t-il les mêmes résonances chez l'une et chez l'autre ?

J'aime bien mieux, pour moi, qu'en épluchant ses herbes
Elle accommode mal les noms avec les verbes,
Et redise cent fois un bas ou méchant[1] mot
530 Que de brûler ma viande ou saler trop mon pot.
Je vis de bonne soupe et non de beau langage.
Vaugelas n'apprend point à bien faire un potage;
Et Malherbe[2] et Balzac[3], si savants en beaux mots,
En cuisine, peut-être, auraient été des sots.

PHILAMINTE

535 Que ce discours grossier* terriblement assomme!
Et quelle indignité, pour ce qui s'appelle homme[4],
D'être baissé sans cesse aux soins matériels*,
Au lieu de se hausser vers les spirituels*!
Le corps, cette guenille, est-il d'une importance,
540 D'un prix à mériter seulement qu'on y pense?
Et ne devons-nous pas laisser cela bien loin?

CHRYSALE

Oui, mon corps est moi-même, et j'en veux prendre soin.
Guenille, si l'on veut, ma guenille m'est chère.

BÉLISE

Le corps avec l'esprit fait figure[5], mon frère;
545 Mais, si vous en croyez tout le monde savant*,
L'esprit* doit sur le corps prendre le pas devant[6],
Et notre plus grand soin, notre première instance[7],
Doit être à le nourrir du suc de la science*.

CHRYSALE

Ma foi, si vous songez à nourrir votre esprit,
550 C'est de viande bien creuse[8], à ce que chacun dit;

---

1. *Méchant :* « Mauvais, qui n'est pas bon, qui ne vaut rien dans son genre » (*Dictionnaire de l'Académie*, 1694). On dit, dans le même sens, de « méchants vers » (voir vers 1335-1336, 1484) ; **2.** *Malherbe :* poète français (1555-1628) qui réforma la langue poétique, en recherchant l'ordre et la sobriété ; très discuté de son temps, il fut, après 1660, considéré comme le précurseur du goût classique (voir *l'Art poétique,* de Boileau : « Enfin Malherbe vint... ») ; **3.** *Guez de Balzac :* prosateur français (1597-1654) ; il contribua surtout par ses *Lettres* à créer un style éloquent et raffiné, qui plut aux salons précieux ; **4.** *Homme :* être humain (sens général) ; **5.** *Faire figure :* former un ensemble ; **6.** *Prendre le pas devant :* avoir le pas sur ; **7.** *Instance :* souci dominant ; **8.** *Viande :* aliment (sens général). Une *viande creuse* est un aliment qui ne rassasie pas.

Et vous n'avez nul soin, nulle sollicitude,
Pour...

PHILAMINTE

Ah! *sollicitude*[1] à mon oreille est rude;
Il pue étrangement son ancienneté.

BÉLISE

Il est vrai que le mot est bien collet monté[2].

CHRYSALE

555 Voulez-vous que je dise? Il faut qu'enfin j'éclate,
Que je lève le masque et décharge ma rate[3].
De folles on vous traite, et j'ai fort sur le cœur...

PHILAMINTE

Comment donc?

CHRYSALE, *à Bélise.*

C'est à vous que je parle, ma sœur.
Le moindre solécisme en parlant[4] vous irrite;
560 Mais vous en faites, vous[5], d'étranges en conduite.
Vos livres éternels ne me contentent pas;

---

1. *Sollicitude* : inquiétude; le mot avait été proscrit par les précieuses;
2. Le *collet monté* était un col raidi par du carton et du fil de fer ; il avait
été à la mode chez les femmes au début du XVIIe siècle. Au sens figuré,
cette expression s'applique à quelque chose qui est démodé ; 3. La *rate*
passait, dans la médecine du temps, pour être le siège de la mauvaise humeur,
de l'humeur noire ; 4. *En parlant* : quand on parle (voir vers 54 et la note);
5. L'emploi du *vous* de politesse permet à Chrysale de s'adresser, sans en
avoir l'air, à Philaminte autant qu'à Bélise.

━━━━━ **QUESTIONS** ━━━━━━━━━━━━━

● VERS 525-554. Démêlez, chez Chrysale, les traits de bon sens un peu
prosaïque et les éléments caricaturaux. Comment Molière concilie-t-il
deux aspects du personnage que nous avons déjà remarqués? Le
comique de farce des vers 532-534. L'importance du vers 542. — La
recherche dans la réponse de Philaminte : place des mots (vers 535);
les idées antithétiques à la rime (vers 537-538). La valeur expressive
d'une construction grammaticale (vers 539), d'une reprise (vers 539-
540). La valeur évocatrice du rythme dans le dernier vers (vers 541).
— La fin de cette discussion : le ridicule mécanique des interventions
de Bélise; l'excès contraire de Chrysale et de Philaminte.
● VERS 555-558. Quel trait de caractère Chrysale montre-t-il en
éclatant ainsi? Se domine-t-il aussi peu qu'il le prétend? Quel effet
produit sur son éloquence véhémente la remarque de sa femme (vers
552-553), dont vous imaginerez le ton? Le comique du vers 558 ; quel
mécanisme psychologique joue de nouveau chez Chrysale? Cherchez
dans la scène précédente (scène VI) des effets de même nature.

Et, hors un gros Plutarque[1] à mettre mes rabats[2],
Vous devriez brûler tout ce meuble[3] inutile
Et laisser la science* aux docteurs* de la ville;
565 M'ôter, pour faire bien, du grenier de céans[4]
Cette longue lunette à faire peur aux gens,
Et cent brimborions dont l'aspect importune;
Ne point aller chercher ce qu'on fait dans la lune,
Et vous mêler un peu de ce qu'on fait chez vous,
570 Où nous voyons aller tout sens dessus dessous.
Il n'est pas bien honnête[5], et pour beaucoup de causes,
Qu'une femme étudie et sache tant de choses :
Former aux bonnes mœurs l'esprit de ses enfants,
Faire aller son ménage, avoir l'œil sur ses gens[6],
575 Et régler la dépense avec économie,
Doit être son étude* et sa philosophie.
Nos pères, sur ce point, étaient gens bien sensés,
Qui disaient qu'une femme en sait toujours assez
Quand la capacité de son esprit se hausse
580 A connaître un pourpoint d'avec un haut-de-chausse[7].
Les leurs ne lisaient point, mais elles vivaient bien;
Leurs ménages étaient tout leur docte entretien,
Et leurs livres, un dé, du fil et des aiguilles,
Dont elles travaillaient au trousseau de leurs filles.
585 Les femmes d'à présent sont bien loin de ces mœurs :
Elles veulent écrire et devenir auteurs;
Nulle science* n'est pour elles trop profonde,
Et céans beaucoup plus qu'en aucun lieu du monde
Les secrets les plus hauts s'y laissent concevoir,
590 Et l'on sait tout chez moi, hors ce qu'il faut savoir.
On y sait comme[8] vont lune, étoile polaire,
Vénus, Saturne et Mars, dont je n'ai point affaire;
Et, dans[9] ce vain savoir, qu'on va chercher si loin,

---

1. La traduction de Plutarque par Amyot (1559), maintes fois réimprimée, avait eu un immense succès; 2. *Rabat* : collet empesé porté par les hommes; on le mettait en presse dans de gros livres, et il était alors un peu démodé; 3. *Meuble* (singulier à sens collectif) : foule d'objets encombrants; 4. *Céans* : voir vers 385 et la note; 5. *Honnête* : convenable; 6. *Les gens* : ici, les domestiques; 7. Le *pourpoint* couvrait le haut du corps; le *haut-de-chausses* était la culotte. Ce détail semble venir de Montaigne, qui cite les paroles de François, duc de Bretagne, déclarant « qu'une femme était assez savante quand elle savait mettre différence entre la chemise et le pourpoint de son mari ». On le trouve aussi dans les *Promenades en neuf dialogues* (1663) de La Mothe Le Vayer, qui était un ami de Molière; 8. *Comme :* comment; les deux mots s'emploient encore au XVIIe siècle dans le même sens; 9. *Dans :* au milieu de.

On ne sait comme va mon pot, dont j'ai besoin.
595 Mes gens à la science* aspirent pour vous plaire,
Et tous ne font rien moins que ce qu'ils ont à faire;
Raisonner est l'emploi de toute ma maison,
Et le raisonnement en bannit la raison[1]*.
L'un me brûle mon rôt en lisant quelque histoire,
600 L'autre rêve à des vers quand je demande à boire;
Enfin je vois par eux votre exemple suivi,
Et j'ai des serviteurs et ne suis point servi.
Une pauvre servante au moins m'était restée,
Qui de ce mauvais air n'était point infectée,
605 Et voilà qu'on la chasse avec un grand fracas
A cause qu'elle manque à parler Vaugelas[2].
Je vous le dis, ma sœur, tout ce train-là me blesse,
Car c'est, comme j'ai dit, à vous que je m'adresse.
Je n'aime point céans tous vos gens à latin,
610 Et principalement ce monsieur[3] Trissotin.
C'est lui qui dans des vers vous a tympanisées[4],

---

1. La *raison* est ici le bon sens pratique opposé au *raisonnement,* qui est l'exercice d'une logique abstraite et théorique ; **2.** *Parler Vaugelas* : s'exprimer comme Vaugelas (voir vers 462 et la note) ; **3.** Dit ironiquement ; **4.** *Tympaniser* : célébrer, glorifier. Le *tympan* est un tambour, et le mot signifie d'abord « publier au son du tambour ».

● QUESTIONS ●

● VERS 559-614. Composition de cette tirade : montrez qu'elle est tout entière fondée sur la comparaison entre l' « idéal » de Chrysale et la réalité. — La part de l'exagération comique et celle des arguments de bon sens. Montrez que l'outrance est ici en rapport avec le caractère à la fois timide et coléreux du personnage. — Soulignez les éléments qui montrent que sa critique est générale et concerne toute sa « maison ». — Qui, cependant, est responsable de cet état de fait ? A qui pourtant s'en prend-il (vers 558 et 607-608) ? Que révèle cette insistance à séparer artificiellement le cas de Bélise de celui de Philaminte ? — Qu'apprenons-nous sur le train de maison de Chrysale et par conséquent sur sa fortune ? D'autres éléments antérieurs ne vont-ils pas dans le même sens (voir vers 563, 565-566) ? — Rapprochez l'allusion de Chrysale au renvoi de Martine (vers 604-606) et sa dérobade des vers suivants ; montrez la valeur symbolique de cette servante pour son maître. — Par quelle association d'idées Chrysale passe-t-il à Trissotin ? Quelle importance a, pour le spectateur, l'apparition de ce nom dans la querelle ?

— Le langage de Chrysale : effet de contraste avec celui des femmes savantes (vocabulaire ; constructions grammaticales ; refus des formules à effet). Montrez que, par sa façon de s'exprimer, autant que par les idées exprimées, il semble faire sa propre apologie en même temps que celle de Martine. — Comment vous apparaissent Philaminte et Bélise à travers le discours de Chrysale ?

Tous les propos qu'il tient sont des billevesées :
On cherche ce qu'il dit après qu'il a parlé ;
Et je lui crois, pour moi, le timbre un peu fêlé.

PHILAMINTE

615 Quelle bassesse*, ô ciel, et d'âme et de langage !

BÉLISE

Est-il de petits corps[1] un plus lourd assemblage,
Un esprit* composé d'atomes plus bourgeois[2] ?
Et de ce même sang se peut-il que je sois ?
Je me veux mal de mort d'être de votre race,
620 Et de confusion j'abandonne la place.

Scène VIII. — PHILAMINTE, CHRYSALE.

PHILAMINTE

Avez-vous à lâcher encore quelque trait ?

CHRYSALE

Moi ? Non. Ne parlons plus de querelle ; c'est fait ;

---

1. Les *petits corps* ou *atomes* sont les éléments infiniment petits dont l'assemblage constitue tous les êtres ; cette terminologie philosophique, inspirée d'Épicure, avait été remise à la mode par Gassendi (1592-1655) ;
2. *Bourgeois* : « Se dit quelquefois, en mauvaise part, par opposition à un homme de la Cour, pour signifier un homme peu spirituel » (*Dictionnaire de Furetière*).

──────── QUESTIONS ────────

● Vers 615-620. Comparez l'exclamation de Philaminte avec le commentaire de Bélise : ton, longueur, idées exprimées, sentiments ; rapprochez l'attitude des deux femmes ici de leur attitude à l'égard de Martine à la scène précédente. — Analysez le ridicule de Bélise en cette fin de scène ; comparez ses propos (vers 618) à ceux de Magdelon dans *les Précieuses ridicules*, scène v.

■ Sur l'ensemble de la scène VII. — Comment justifier le long discours de Chrysale et le silence de Philaminte ?
— Pourquoi cet homme en colère suit-il une sorte de plan dans ce discours ? Quel est ce plan ?
— Le renvoi de Martine est-il la seule cause de sa colère ?
— Quelles sont les précautions oratoires qu'il prend ? Montrez leur variété (voir les vers 558, 560, 563, 569, 577, 585, 605, 607, 611, 614). Comment le portrait qu'il trace de Trissotin est-il lui-même présenté sur un ton d'excuse ?
— Distinguez ce qui est raisonnable et ce qui est excessif dans ce qu'il dit.
— Quels sont les traits secondaires du caractère de Chrysale qui apparaissent ? Relevez les vers qui révèlent sa coquetterie, son souci du « qu'en-dira-t-on », son prosaïsme, son égoïsme, son « utilitarisme », sa gourmandise, son souci d'autorité.

Discourons d'autre affaire. A votre fille aînée
On voit quelque dégoût pour les nœuds d'hyménée;
625 C'est une philosophe enfin, je n'en dis rien;
Elle est bien gouvernée, et vous faites fort bien.
Mais de tout autre humeur[1] se trouve sa cadette,
Et je crois qu'il est bon de pourvoir[2] Henriette,
De choisir un mari...

PHILAMINTE

C'est à quoi j'ai songé,
630 Et je veux vous ouvrir[3] l'intention que j'ai.
Ce monsieur Trissotin dont on nous fait un crime,
Et qui n'a pas l'honneur d'être dans votre estime,
Est celui que je prends pour l'époux qu'il lui faut,
Et je sais mieux que vous juger de ce qu'il vaut.
635 La contestation est ici superflue,
Et de tout point chez moi l'affaire est résolue.
Au moins ne dites mot du choix de cet époux :
Je veux à votre fille en parler avant vous.
J'ai des raisons à faire[4] approuver ma conduite,
640 Et je connaîtrai bien si vous l'aurez instruite.

SCÈNE IX. — ARISTE, CHRYSALE.

ARISTE

Hé bien? La[5] femme sort, mon frère, et je vois bien

---

1. Voir vers 205 et la note; 2. *Pourvoir :* établir, donner un mari;
3. *Ouvrir :* découvrir; 4. Capables de faire (infinitif d'intention); 5. Manière familière de dire *votre femme.*

──────── QUESTIONS ────────

■ SUR LA SCÈNE VIII. — L'intérêt de cette scène; ce qu'elle apporte au point de vue de l'action; ce qu'elle laisse prévoir. Comparez-la à la scène IV de l'acte II.
— Le caractère des personnages : l'attitude de Philaminte ici et à la scène précédente. Comment prend-elle sa revanche? Jusqu'où pousse-t-elle ses prétentions aux vers 635-640? Aurait-elle parlé tout à fait sur ce ton en présence de Bélise? — Qu'est devenue l'assurance de Chrysale?
— L'effet comique : Chrysale choisit-il bien son moment pour parler du mariage d'Henriette?

Que vous venez d'avoir ensemble un entretien.

CHRYSALE

Oui.

ARISTE

Quel est le succès[1]? Aurons-nous Henriette?
A-t-elle consenti? l'affaire est-elle faite?

CHRYSALE

645 Pas tout à fait encor.

ARISTE

Refuse-t-elle?

CHRYSALE

Non.

ARISTE

Est-ce qu'elle balance[2]?

CHRYSALE

En aucune façon.

ARISTE

Quoi donc?

CHRYSALE

C'est que pour gendre elle m'offre un autre homme.

ARISTE

Un autre homme pour gendre?

CHRYSALE

Un autre.

ARISTE

Qui se nomme?

CHRYSALE

Monsieur Trissotin.

ARISTE

Quoi! ce monsieur Trissotin...

---

1. *Succès :* issue (heureuse ou malheureuse); 2. *Balancer :* hésiter.

──── ● QUESTIONS ────

● VERS 641-649. Le comique de ce premier mouvement de la scène :
la malice d'Ariste (vers 641-642); l'embarras de Chrysale. Comment
celui-ci retarde-t-il le plus longtemps possible l'aveu de son échec?
Pourquoi rit-on au vers 647? — Quel est exactement le sentiment du
spectateur pendant ce dialogue dont il sait à l'avance le résultat?
L'impression produite au moment où le nom de Trissotin est enfin
prononcé.

CHRYSALE

650 Oui, qui parle toujours de vers et de latin.

ARISTE

Vous l'avez accepté?

CHRYSALE

Moi? Point, à Dieu ne plaise.

ARISTE

Qu'avez-vous répondu?

CHRYSALE

Rien; et je suis bien aise
De n'avoir point parlé, pour ne m'engager pas.

ARISTE

La raison est fort belle, et c'est faire un grand pas.
655 Avez-vous su du moins lui proposer Clitandre?

CHRYSALE

Non : car, comme j'ai vu qu'on parlait d'autre gendre,
J'ai cru qu'il était mieux de ne m'avancer point.

ARISTE

Certes, votre prudence est rare au dernier point!
N'avez-vous point de honte avec votre mollesse?
660 Et se peut-il qu'un homme ait assez de faiblesse
Pour laisser à sa femme un pouvoir absolu
Et n'oser attaquer ce qu'elle a résolu?

CHRYSALE

Mon Dieu, vous en parlez, mon frère, bien à l'aise;
Et vous ne savez pas comme¹ le bruit me pèse.
665 J'aime fort le repos, la paix et la douceur,
Et ma femme est terrible avecque² son humeur.
Du nom de philosophe elle fait grand mystère³,
Mais elle n'en est pas pour cela moins colère;

---

1. Voir vers 591 et la note; 2. *Avecque :* orthographe archaïque, qui reste permise au XVIIᵉ siècle en poésie pour les nécessités de la mesure du vers; 3. *Faire grand mystère :* faire beaucoup de cérémonies, de façons.

● QUESTIONS

● VERS 650-657. Sous quelle forme reparaît ici la vanité de Chrysale? Est-ce seulement aux yeux d'Ariste qu'il veut justifier sa conduite? En comparant ses propos à ce qui s'est passé scène VIII, appréciez l'explication qu'il donne lui-même de sa conduite.

Et sa morale, faite à[1] mépriser le bien[2],
670 Sur l'aigreur de sa bile opère comme rien.
Pour peu que l'on s'oppose à ce que veut sa tête,
On en a pour huit jours d'effroyable tempête.
Elle me fait trembler dès qu'elle prend son ton;
Je ne sais où me mettre, et c'est un vrai dragon.
675 Et cependant, avec toute sa diablerie[3],
Il faut que je l'appelle et mon cœur et ma mie.

ARISTE

Allez, c'est se moquer. Votre femme, entre nous,
Est, par vos lâchetés, souveraine sur vous.
Son pouvoir n'est fondé que sur votre faiblesse;
680 C'est de vous qu'elle prend le titre de maîtresse;
Vous-même à ses hauteurs[4] vous vous abandonnez,
Et vous faites mener, en bête, par le nez.
Quoi! vous ne pouvez pas, voyant comme on vous nomme[5],
Vous résoudre une fois à vouloir être un homme,
685 A faire condescendre une femme à vos vœux
Et prendre assez de cœur pour dire un : Je le veux?
Vous laisserez sans honte immoler[6] votre fille
Aux folles visions qui tiennent la famille,
Et de tout votre bien[7] revêtir un nigaud
690 Pour six mots de latin qu'il leur fait sonner haut,
Un pédant* qu'à tout coup votre femme apostrophe[8]
Du nom de bel esprit* et de grand philosophe,

----

1. *Faite à :* faite pour ; 2. *Le bien :* ici, les richesses, la fortune ; 3. *Diablerie :* mauvais caractère digne du diable ; 4. *Hauteurs :* manifestations d'un esprit qui veut dominer (sens concret d'un mot abstrait pris au pluriel) ; 5. Comment on vous traite ; 6. *Immoler :* sacrifier ; 7. Si Armande ne se marie pas, comme c'est vraisemblable, Henriette héritera de toute la fortune paternelle, et le choix d'un gendre est donc important pour un bourgeois qui veut laisser sa fortune en bonnes mains ; 8. *Apostropher :* interpeller, mais sans aucun sens désobligeant.

● QUESTIONS

● VERS 658-676. Quelles raisons peuvent autoriser Ariste à parler avec tant de rude franchise à son frère (vers 658-662) ? — Pourquoi Chrysale, malgré sa vanité, se laisse-t-il aller à l'aveu des vers 663-676 ? L'opinion qu'il a de lui-même (vers 665), l'image qu'il donne de sa femme sont-elles des justifications suffisantes ? S'il était lui-même plus énergique, sa femme serait-elle aussi terrible ? Dans quelle mesure Chrysale est-il conscient de sa faiblesse ? — La vérité humaine du personnage de Chrysale : est-il seulement ridicule ici ?

D'homme qu'en vers galants jamais on n'égala,
Et qui n'est, comme on sait, rien moins que tout cela ?
695 Allez, encore un coup, c'est une moquerie,
Et votre lâcheté mérite qu'on en rie.

CHRYSALE

Oui, vous avez raison, et je vois que j'ai tort.
Allons, il faut enfin montrer un cœur plus fort,
Mon frère.

ARISTE

C'est bien dit.

CHRYSALE

C'est une chose infâme
700 Que d'être si soumis au pouvoir d'une femme.

ARISTE

Fort bien.

CHRYSALE

De ma douceur elle a trop profité.

ARISTE

Il est vrai.

CHRYSALE

Trop joui de ma facilité.

ARISTE

Sans doute.

CHRYSALE

Et je lui veux faire aujourd'hui connaître
Que ma fille est ma fille, et que j'en suis le maître,
705 Pour lui prendre un mari qui soit selon mes vœux.

ARISTE

Vous voilà raisonnable et comme je vous veux.

─────────── QUESTIONS ───────────

● Vers 677-696. La rudesse de ces reproches : imaginez comment les accueillerait un personnage doué de plus de dignité que Chrysale. Le spectateur approuve-t-il la logique d'Ariste aux vers 679-686 ? — Faut-il en déduire qu'Ariste est ici le porte-parole de Molière ? Ne pourrait-on plutôt conclure de ce débat entre les deux frères qu'il est toujours difficile de donner des conseils aux autres et qu'on ne saurait se mettre à leur place ? — La nouvelle allusion à Trissotin : comparez ce qu'en dit Ariste à l'opinion de Chrysale (vers 611-614).

CHRYSALE

Vous êtes pour Clitandre, et savez sa demeure :
Faites-le-moi venir, mon frère, tout à l'heure[1].

ARISTE

J'y cours tout de ce pas.

CHRYSALE

C'est souffrir trop longtemps,
710 Et je m'en vais être homme à la barbe des gens.

---

1. *Tout à l'heure* : tout de suite (sens habituel de l'expression au XVIIᵉ siècle).

——— QUESTIONS ———

● VERS 697-710. Le nouveau revirement de Chrysale était-il prévisible ? Rapprochez chacune de ses répliques des paroles d'Ariste (vers 676 et suivants) auxquelles elles font écho. Que peut-on en conclure sur la psychologie de Chrysale ? Déduisez-en un des traits de sa valeur comique. — Quel sens accorder aux paroles d'Ariste : encouragements ? ironie incrédule ? enthousiasme devant cette métamorphose de son frère ? — L'énergie de Chrysale : 1° à l'égard de sa femme : qu'est-ce qui la facilite en la rendant comique ? 2° vis-à-vis de son frère : montrez que son ton de commandement n'est qu'une marque d'obéissance. — La dernière réplique de Chrysale nous laisse-t-elle pleinement confiants dans sa conversion ? Pourquoi ?

■ SUR L'ENSEMBLE DE LA SCÈNE IX. — Comment et pourquoi Chrysale justifie-t-il sa conduite devant son frère ? L'évolution de son état d'esprit au cours de cette scène.

— Comparez le portrait de Trissotin (vers 687-694) à celui qu'en ont donné Chrysale (vers 612 et suivants) et Clitandre (vers 252 et suivants). Comment le point de vue a-t-il changé ? Montrez que celui qui trace le portrait est influencé par ses préoccupations dominantes.

— Le comique : montrez qu'il tient aux caractères plus qu'aux mots et aux situations.

■ SUR L'ENSEMBLE DE L'ACTE II. — L'évolution de l'action : l'intérêt des deux dialogues entre Chrysale et Ariste, qui encadrent cet acte. Que laisse présager la dernière scène du déroulement ultérieur de la pièce : où est le problème ? Quelle est la situation des personnages à la fin de l'acte ? Est-ce toutefois le projet de mariage d'Henriette qui constitue l'intérêt principal ?

— Le caractère de Chrysale : tracez son portrait ; distinguez son attitude en face des différents personnages que Molière lui oppose ; quels traits communs se retrouvent invariablement ? Que représente Ariste dans cette pièce ? Est-il sympathique ? Semble-t-il avoir raison ?

— Le comique dans cet acte : ses différents aspects, correspondant à différents niveaux de comédie. Le mélange de rire et d'émotion : quelle est l'impression dominante ?

— La satire des mœurs dans cet acte : sa portée au XVIIᵉ siècle et actuellement. Sa valeur de document pour nous.

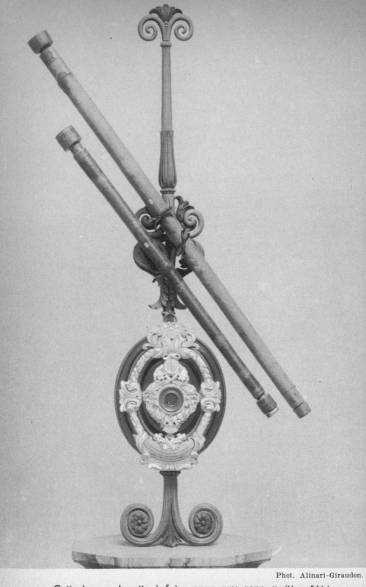

« Cette longue lunette à faire peur aux gens. » (Vers 566.)

Lunette astronomique conçue par Galilée.

Florence. Musée de physique et d'histoire naturelle.

The image shows text: REMARQVES Sur la Langue FRANÇOISE

FRONTISPICE DES *REMARQUES SUR LA LANGUE FRANÇAISE*
DE VAUGELAS (1647)

ACTE III

SCÈNE PREMIÈRE. — PHILAMINTE, ARMANDE,
BÉLISE, TRISSOTIN, LÉPINE.

PHILAMINTE

Ah! mettons-nous ici pour écouter à l'aise
Ces vers que mot à mot il est besoin qu'on pèse.

ARMANDE

Je brûle de les voir.

BÉLISE

Et l'on s'en meurt[1] chez nous.

PHILAMINTE, *à Trissotin.*

Ce sont charmes[2] pour moi que ce qui part de vous.

ARMANDE

715 Ce m'est une douceur à nulle autre pareille.

BÉLISE

Ce sont repas friands qu'on donne à mon oreille.

PHILAMINTE

Ne faites point languir de si pressants désirs.

ARMANDE

Dépêchez.

BÉLISE

Faites tôt, et hâtez nos plaisirs.

PHILAMINTE

A notre impatience offrez votre épigramme[3].

TRISSOTIN, *à Philaminte.*

720 Hélas![4] c'est un enfant tout nouveau-né, madame.
Son sort assurément a lieu de vous toucher,
Et c'est dans votre cour que j'en viens d'accoucher.

---

1. *S'en mourir :* forme pronominale qui renforce le sens du verbe (comme dans « s'en aller ») ; 2. *Charmes :* attraits qui ont une puissance presque magique ; 3. *Épigramme :* court poème, qui se termine toujours par un mot d'esprit et contient le plus souvent une intention satirique ; 4. *Hélas !* : interjection de politesse qui exprime la crainte hypocrite de ne pouvoir répondre aux espoirs qu'il vient de faire naître.

PHILAMINTE

Pour me le rendre cher, il suffit de son père.

TRISSOTIN

Votre approbation lui peut servir de mère.

BÉLISE

725 Qu'il a d'esprit!

Scène II. — HENRIETTE, PHILAMINTE, ARMANDE, BÉLISE, TRISSOTIN, LÉPINE.

PHILAMINTE, *à Henriette, qui veut se retirer.*

Holà! pourquoi donc fuyez-vous?

HENRIETTE

C'est de peur de troubler un entretien si doux.

PHILAMINTE

Approchez, et venez de toutes vos oreilles
Prendre part au plaisir d'entendre des merveilles.

HENRIETTE

Je sais peu les beautés de tout ce qu'on écrit,
730 Et ce n'est pas mon fait[1] que les choses d'esprit*.

PHILAMINTE

Il n'importe. Aussi bien ai-je à vous dire ensuite
Un secret dont il faut que vous soyez instruite.

TRISSOTIN, *à Henriette.*

Les sciences[2]* n'ont rien qui vous puisse enflammer,
Et vous ne vous piquez que de savoir charmer.

---

1. Ce n'est pas mon affaire; 2. *Les sciences* : les connaissances intellectuelles (sens général).

■ QUESTIONS ■

■ Sur la scène première. — Pourquoi attendait-on Trissotin avec impatience? Comparez cette entrée avec le troisième acte du *Tartuffe*. Le voit-on ici à son arrivée chez Philaminte? Où en est la scène quand le rideau se lève?

— Quel est l'état d'esprit que peint cette scène? Comparez les trois mots : *charmes* (vers 714), *douceur* (vers 715), *repas* (vers 716). En quoi sont-ils bien choisis dans la bouche des trois personnages qui les emploient?

— Montrez que, d'après le style de Trissotin, on peut juger de la forme de son esprit (vers 720 et suivants). Quel procédé précieux utilise-t-il pour l'exprimer?

HENRIETTE

735 Aussi peu l'un que l'autre; et je n'ai nulle envie...

BÉLISE

Ah! songeons à l'enfant nouveau-né, je vous prie.

PHILAMINTE, *à Lépine*.

Allons, petit garçon, vite de quoi s'asseoir.
(Le laquais tombe avec la chaise.)
Voyez l'impertinent[1]! Est-ce que l'on doit choir,
Après avoir appris l'équilibre des choses?

BÉLISE

740 De ta chute, ignorant, ne vois-tu pas les causes,
Et qu'elle vient d'avoir du point fixe écarté
Ce que nous appelons centre de gravité[2]?

LÉPINE

Je m'en suis aperçu, madame, étant par terre.

PHILAMINTE, *à Lépine qui sort*.

Le lourdaud!

TRISSOTIN

Bien lui prend de n'être pas de verre.

---

1. *Impertinent :* insolent (qui dit et qui fait ce qu'il ne convient pas de faire) ; 2. Formule savante : pour qu'un objet soit en équilibre, il faut que le *centre de gravité* coïncide avec le *point fixe*, point d'application de la résultante des actions de la pesanteur sur toutes les parties de ce corps.

QUESTIONS

● VERS 725-736. Par quel jeu de scène Molière fait-il entrer Henriette dans l'entretien? Aurait-il été normal qu'elle se fût trouvée là pour recevoir Trissotin? Pourquoi sa mère lui demande-t-elle de rester? — D'après une indication de mise en scène, elle reste seule debout; pourquoi? — Comment Molière relie-t-il cette scène de salon, l'attitude d'Henriette et l'action de la pièce (vers 731-732)? — La réplique de Bélise (vers 736) : son ridicule; quel aspect de son esprit met-elle en évidence?

● VERS 737-745. Le comique de cet incident confirme-t-il ce que Chrysale disait aux vers 569-570? Son utilité : quel aspect des femmes savantes permet-il de révéler? — Comparez les commentaires de Philaminte et de Bélise : ne restent-ils pas conformes à la différence de niveau intellectuel qui sépare les deux femmes? Rapprochez notamment l'attitude de Bélise des leçons qu'elle donnait à Martine (vers 481 et suivants)? — Trouvez-vous originale et spirituelle la remarque de Trissotin (vers 744)? Les cris d'admiration qui l'accueillent (vers 745) : le parti pris qui les dicte; la médiocrité intellectuelle qu'ils reflètent.

ARMANDE

745 Ah! de l'esprit partout!

BÉLISE

Cela ne tarit pas.

PHILAMINTE

Servez-nous promptement votre aimable repas[1].

TRISSOTIN

Pour cette grande faim qu'à mes yeux on expose
Un plat seul de huit vers me semble peu de chose,
Et je pense qu'ici je ne ferai pas mal
750 De joindre à l'épigramme, ou bien au madrigal[2],
Le ragoût[3] d'un sonnet qui chez une princesse
A passé pour avoir quelque délicatesse.
Il est de sel attique[4] assaisonné partout,
Et vous le trouverez, je crois, d'assez[5] bon goût.

ARMANDE

755 Ah! je n'en doute point.

PHILAMINTE

Donnons vite audience[6].

BÉLISE, *à chaque fois qu'il veut lire, l'interrompt.*

Je sens d'aise mon cœur tressaillir par avance.
J'aime la poésie avec entêtement[7],
Et surtout quand les vers sont tournés galamment[8].

---

1. Gustave Reynier rappelle qu'une pièce galante de Cotin s'intitulait *Festin poétique*; 2. *Madrigal :* court poème exprimant avec esprit un sentiment amoureux; Trissotin pense que son petit poème peut se définir aussi bien comme un madrigal que comme une épigramme; 3. Le *ragoût* est une sauce ou un assaisonnement destiné à réveiller le goût; 4. Le *sel* est ce qui donne sa saveur aux aliments et (au figuré) à la conversation; le *sel attique* est le plus subtil de tous. 5. *Assez :* très; 6. *Donner audience :* prêter attention à ce qui se dit; 7. *Entêtement :* attachement obstiné; 8. *Galamment :* élégamment, surtout lorsqu'il s'agit du langage amoureux.

● **QUESTIONS** ●

● VERS 746-760. La métaphore du vers 746 est-elle neuve? Comment se poursuit-elle encore dans les vers suivants (vers 751, 753-754)? Le procédé étant démodé en 1672, pouvez-vous préciser l'objectif de Molière en ridiculisant ici ses personnages? — Le comique de gestes, chez Bélise : pourquoi Molière en a-t-il chargé la sœur de Chrysale? Quel motif pousse Bélise à interpeller Henriette? Quels éléments marquent le détachement de celle-ci à l'égard de cette scène?

PHILAMINTE

Si nous parlons toujours, il ne pourra rien dire.

TRISSOTIN

760 SO...

BÉLISE, *à Henriette*.

Silence, ma nièce...

ARMANDE

Ah! laissez-le donc lire.

TRISSOTIN

SONNET À LA PRINCESSE URANIE[1]

SUR SA FIÈVRE

Votre prudence est endormie,
De traiter magnifiquement
Et de loger superbement
Votre plus cruelle ennemie.

BÉLISE

765 Ah! le joli début!

ARMANDE

Qu'il a le tour galant!

PHILAMINTE

Lui seul des vers aisés possède le talent!

ARMANDE

A « prudence endormie » il faut rendre les armes.

BÉLISE

« Loger son ennemie » est pour moi plein de charmes.

PHILAMINTE

J'aime « superbement » et « magnifiquement »;
770 Ces deux adverbes joints font admirablement.

BÉLISE

Prêtons l'oreille au reste.

TRISSOTIN

Votre prudence est endormie,
De traiter magnifiquement

---

1. Ce sonnet se trouve textuellement dans les *Œuvres galantes* de l'abbé Cotin ; c'est le « Sonnet à Mlle de Longueville, à présent duchesse de Nemours, sur sa fièvre quarte ».

Et de loger superbement
Votre plus cruelle ennemie.

ARMANDE

« Prudence endormie! »

BÉLISE

« Loger son ennemie! »

PHILAMINTE

« Superbement » et « magnifiquement! »

TRISSOTIN

Faites-la sortir, quoi qu'on die[1],
De votre riche appartement,
Où cette ingrate insolemment
775   Attaque votre belle vie.

BÉLISE

Ah! tout doux, laissez-moi, de grâce, respirer.

ARMANDE

Donnez-nous, s'il vous plaît, le loisir d'admirer.

PHILAMINTE

On se sent, à ces vers, jusques au fond de l'âme
Couler je ne sais quoi qui fait que l'on se pâme.

ARMANDE

« Faites-la sortir, quoi qu'on die,
De votre riche appartement. »
780 Que « riche appartement » est là joliment dit!
Et que la métaphore est mise avec esprit!

PHILAMINTE

« Faites-la sortir, quoi qu'on die. »
Ah! que ce « quoi qu'on die » est d'un goût admirable!
C'est, à mon sentiment, un endroit impayable[2].

ARMANDE

De « quoi qu'on die » aussi mon cœur est amoureux.

BÉLISE

785 Je suis de votre avis, « quoi qu'on die » est heureux.

---

1. *Quoi qu'on die* : forme du subjonctif présent du verbe dire, qui était encore utilisée en 1672, mais qui tombait en désuétude ; 2. *Impayable* : qui n'a pas de prix (mais sans le sens ironique qu'a le mot aujourd'hui).

ARMANDE

Je voudrais l'avoir fait.

BÉLISE

Il vaut toute une pièce.

PHILAMINTE

Mais en comprend-on bien comme moi la finesse?

ARMANDE ET BÉLISE

Oh! oh!

PHILAMINTE

« Faites-la sortir, quoi qu'on die. »
Que de la fièvre on prenne ici les intérêts;
N'ayez aucun égard, moquez-vous des caquets[1],
    « Faites-la sortir, quoi qu'on die,
        Quoi qu'on die, quoi qu'on die! »
790 Ce « quoi qu'on die » en dit beaucoup plus qu'il ne semble.
Je ne sais pas, pour moi, si chacun me ressemble,
Mais j'entends là-dessous un million de mots.

BÉLISE

Il est vrai qu'il dit plus de choses qu'il n'est gros.

PHILAMINTE, *à Trissotin.*

Mais, quand vous avez fait ce charmant « quoi qu'on die »,
795 Avez-vous compris, vous, toute son énergie?
Songiez-vous bien vous-même à tout ce qu'il nous dit,
Et pensiez-vous alors y mettre tant d'esprit?

TRISSOTIN

Hai! hai!

ARMANDE

    J'ai fort aussi « l'ingrate » dans la tête[2],
Cette ingrate de fièvre, injuste, malhonnête,
800 Qui traite mal les gens qui la logent chez eux.

PHILAMINTE

Enfin les quatrains sont admirables tous deux.
Venons-en promptement aux tiercets[3], je vous prie.

---

1. *Caquets* : cancans, propos médisants ; 2. Je m'attache passionnément à (voir *entêtement*, vers 757) ; 3. On dit aujourd'hui *tercets*.

ARMANDE

Ah! s'il vous plaît, encore une fois « quoi qu'on die ».

TRISSOTIN

Faites-la sortir, quoi qu'on die...

PHILAMINTE, ARMANDE ET BÉLISE

« Quoi qu'on die! »

TRISSOTIN

De votre riche appartement.

PHILAMINTE, ARMANDE ET BÉLISE

« Riche appartement! »

TRISSOTIN

Où cette ingrate insolemment...

PHILAMINTE, ARMANDE ET BÉLISE

Cette « ingrate » de fièvre!

TRISSOTIN

Attaque votre belle vie.

PHILAMINTE

« Votre belle vie! »

ARMANDE ET BÉLISE

Ah!

TRISSOTIN

805   Quoi! sans respecter votre rang,
Elle se prend à votre sang...[1]

PHILAMINTE, ARMANDE ET BÉLISE

Ah!

TRISSOTIN

Et nuit et jour vous fait outrage!
Si vous la conduisez aux bains,
Sans la marchander[2] davantage,
Noyez-la de vos propres mains.

---

1. L'expression prend toute sa valeur, si on se rappelle que la duchesse de Nemours, à qui l'abbé Cotin avait dédié ce sonnet, était sœur du Grand Condé et princesse de *sang royal*; 2. *Marchander* : ménager.

PHILAMINTE

810 On n'en peut plus.

BÉLISE

On pâme.

ARMANDE

On se meurt[1] de plaisir.

PHILAMINTE

De mille doux frissons vous vous sentez saisir.

ARMANDE

« Si vous la conduisez aux bains... »

BÉLISE

« Sans la marchander davantage... »

PHILAMINTE

« Noyez-la de vos propres mains. »
De vos propres mains, là, noyez-la dans les bains.

ARMANDE

Chaque pas dans vos vers rencontre un trait charmant.

BÉLISE

Partout on s'y promène avec ravissement.

PHILAMINTE

815 On n'y saurait marcher que sur de belles choses.

ARMANDE

Ce sont petits chemins tout parsemés de roses.

TRISSOTIN

Le sonnet donc vous semble...

PHILAMINTE

Admirable, nouveau,
Et personne jamais n'a rien fait de si beau.

BÉLISE, *à Henriette.*

Quoi! sans émotion pendant cette lecture!
820 Vous faites là, ma nièce, une étrange figure.

HENRIETTE

Chacun fait ici-bas la figure qu'il peut,

---

1. Voir vers 713 et la note.

Ma tante, et bel esprit, il[1] ne l'est pas qui veut.

TRISSOTIN

Peut-être que mes vers importunent madame.

HENRIETTE

Point : je n'écoute pas.

PHILAMINTE

Ah! voyons l'épigramme.

TRISSOTIN

SUR UN CARROSSE DE COULEUR AMARANTE[2]
DONNÉ À UNE DAME DE SES AMIES[3]

PHILAMINTE

825 Ses titres ont toujours quelque chose de rare.

ARMANDE

A cent beaux traits d'esprit leur nouveauté prépare.

TRISSOTIN

L'amour si chèrement m'a vendu son lien...

---

1. Cette tournure, destinée à mettre le sujet en relief, serait incorrecte aujourd'hui. *Il* ne peut être antécédent de *qui*; on dirait : « ne l'est pas qui veut ». **2.** *Amarante* : fleur de couleur pourpre ; **3.** Cette épigramme se trouve également dans les *Œuvres galantes* de l'abbé Cotin, sous le titre « Sur un carrosse de couleur amarante, acheté par une dame, madrigal ».

● **QUESTIONS** ————————

● Vers 761-824. Comparez le sonnet de Trissotin à celui d'Oronte, dans *le Misanthrope* (acte premier, scène II), au madrigal de Mascarille, dans *les Précieuses ridicules* (scène IX), et aux poèmes de M. Tibaudier, dans *la Comtesse d'Escarbagnas* (scène V). Recherchez les traits de parenté entre ces œuvres poétiques ; établissez entre elles une hiérarchie ; celle-ci tient-elle à une évolution dans l'attitude de Molière ou à différents niveaux de comédie ? — Pourquoi les femmes savantes admirent-elles ces vers ? Songez à qui ils sont dédiés. Etudiez leur admiration. Montrez que cette « critique » offre l'exemple d'une mauvaise explication de textes. affirmations injustifiées, paraphrase, enthousiasme délirant. — Comment les jugements des femmes savantes mettent-ils en évidence la médiocrité du sonnet ? Que penser notamment de la valeur du *quoi qu'on die*, tant admiré ? Quel est le comportement de Trissotin devant ces encens ? Pourquoi répète-t-il le premier quatrain ? Philaminte n'a-t-elle pas dans ses jugements une attitude plus intéressante que les autres ? — Pourquoi Molière fait-il intervenir Henriette : raisons de vraisemblance ; importance de son opinion pour l'action ; valeur révélatrice pour comprendre Trissotin. Rapprochez les vers 821-822 de la scène première de l'acte premier.

PHILAMINTE, ARMANDE ET BÉLISE

Ah!

TRISSOTIN

Qu'il m'en coûte déjà la moitié de mon bien;
Et, quand tu vois ce beau carrosse,
830   Où tant d'or se relève en bosse[1]
Qu'il étonne tout le pays
Et fait pompeusement triompher ma Laïs[2],...

PHILAMINTE

Ah! « ma Laïs ! » Voilà de l'érudition*.

BÉLISE

L'enveloppe[3] est jolie et vaut un million.

TRISSOTIN

Et, quand tu vois ce beau carrosse
Où tant d'or se relève en bosse
Qu'il étonne tout le pays
Et fait pompeusement triompher ma Laïs,
835   Ne dis plus qu'il est amarante,
Dis plutôt qu'il est de ma rente.

ARMANDE

Oh! oh! oh! Celui-là ne s'attend point du tout.

PHILAMINTE

On n'a que lui qui puisse écrire de ce goût[4].

BÉLISE

« Ne dis plus qu'il est amarante,
Dis plutôt qu'il est de ma rente. »
Voilà qui se décline : « ma rente, de ma rente, à ma rente. »

PHILAMINTE

Je ne sais, du moment que je vous ai connu,

---

1. *Bosse :* ornement en relief ; 2. *Laïs :* Corinthienne du Ve siècle av. J.-C., célèbre par sa beauté ; 3. *L'enveloppe :* l'allusion historique (*ma Laïs*) sous laquelle est présentée la réalité ; 4. Avec ce goût.

──────── QUESTIONS ────────

● VERS 825-838. Montrez que la lecture de l'épigramme aboutit aux mêmes effets que la lecture du sonnet ; pourquoi Molière les utilise-t-il toutefois plus rapidement et plus discrètement ? — L'épigramme étant, comme le sonnet, textuellement tirée des œuvres de l'abbé Cotin, quelle impression se trouvait confirmée chez le spectateur de 1672 ?

840 Si sur votre sujet j'eus l'esprit prévenu[1],
   Mais j'admire partout vos vers et votre prose.

TRISSOTIN, *à Philaminte.*

Si vous vouliez de vous nous montrer quelque chose,
A notre tour aussi nous pourrions admirer.

PHILAMINTE

Je n'ai rien fait en vers[2], mais j'ai lieu d'espérer
845 Que je pourrai bientôt vous montrer, en amie,
   Huit chapitres du plan de notre académie[3].
   Platon[4] s'est au projet simplement arrêté,
   Quand de sa République il a fait le traité ;
   Mais à l'effet[5] entier je veux pousser l'idée
850 Que j'ai sur le papier en prose accommodée[6] :
   Car enfin je me sens un étrange dépit
   Du tort que l'on nous fait du côté de l'esprit* ;
   Et je veux nous venger, toutes tant que nous sommes,
   De cette indigne classe où nous rangent les hommes,
855 De borner[7] nos talents à des futilités
   Et nous fermer la porte aux sublimes clartés[8]*.

ARMANDE

C'est faire à notre sexe une trop grande offense
De n'étendre l'effort de notre intelligence
Qu'à juger d'une jupe et de l'air d'un manteau,
860 Ou des beautés d'un point[9], ou d'un brocart[10] nouveau.

BÉLISE

Il faut se relever de ce honteux partage,
Et mettre hautement notre esprit* hors de page[11].

---

1. *Prévenu :* qui a une opinion préconçue (ici, une opinion favorable) ;
2. Sans doute depuis la dernière réception, car, au vers 1156, Armande parle des vers que fait Philaminte ; 3. *Académie :* cercle littéraire, réunion d'écrivains et de gens cultivés qui sont reçus régulièrement dans une maison particulière ; les académies étaient à la mode, et l'Académie française n'est, à l'origine, qu'un de ces cercles littéraires auquel Richelieu avait donné un caractère officiel ; 4. *Platon,* philosophe athénien (428-347 av. J.-C.), maître de l'idéalisme, enseignait dans les jardins de l'Académie ; mais il n'a nullement prévu de cercles littéraires dans sa *République,* ouvrage de politique théorique qui imagine une société idéale ; 5. *L'effet :* la réalisation ; 6. *Accommoder :* arranger, mettre en forme ; 7. *De borner :* qui consiste à borner ; 8. *Clartés :* voir vers 40 et la note ; 9. *Point* de broderie ; 10. *Brocart :* tissu broché d'or, d'argent, de soie ; 11. *Mettre hors de page :* émanciper (expression d'origine féodale ; le jeune page entrait à sept ans au service d'un seigneur, et, à quatorze ans, il était mis *hors de page*).

TRISSOTIN

Pour les dames on sait mon respect en tous lieux ;
Et, si je rends hommage aux brillants de leurs yeux,
865 De leur esprit* aussi j'honore les lumières*.

PHILAMINTE

Le sexe[1] aussi vous rend justice en ces matières ;
Mais nous voulons montrer à de certains esprits,
Dont l'orgueilleux savoir nous traite avec mépris,
Que de science* aussi les femmes sont meublées[2] ;
870 Qu'on peut faire comme eux de doctes assemblées,
Conduites en cela par des ordres meilleurs[3] ;
Qu'on y veut réunir ce qu'on sépare ailleurs[4],
Mêler le beau langage et les hautes sciences*,
Découvrir la nature en mille expériences,
875 Et, sur les questions qu'on pourra proposer,
Faire entrer chaque secte[5] et n'en point épouser[6].

TRISSOTIN

Je m'attache, pour l'ordre, au péripatétisme[7].

PHILAMINTE

Pour les abstractions j'aime le platonisme[8].

ARMANDE

Épicure[9] me plaît, et ses dogmes sont forts.

1. *Le sexe* : le beau sexe, les femmes ; 2. *Meublées* : pourvues ; 3. Guidées par des principes meilleurs ; 4. Allusion à la création de l'Académie des sciences (fondée par Colbert en 1666), réservée aux savants, tandis que l'Académie française (fondée par Richelieu en 1635) ne recevait que les écrivains ; 5. *Secte* : école philosophique ; 6. *N'en point épouser* : ne s'attacher, n'adhérer à aucune d'elles ; 7. *Péripatétisme* : doctrine d'Aristote (384-322 av. J.-C.), philosophe grec, spiritualiste et rationaliste ; sa *Logique* et son étude des méthodes scientifiques avaient encore grand prestige : d'où l'éloge de l'*ordre* qui règne dans sa philosophie ; 8. Voir vers 847 et la note. Platon professait que le monde réel est l'image d'un monde parfait et *abstrait*, celui des idées ; 9. *Épicure* : philosophe grec (341-270 av. J.-C.). Il reprit la théorie atomique de Démocrite et développa une doctrine matérialiste, que l'on connaît surtout par le poème *De natura rerum* du Latin Lucrèce (v. 98-55 av. J.-C.). Gassendi (voir note du vers 616), dont Molière a peut-être subi l'influence, avait repris certaines idées d'Épicure.

———— QUESTIONS ————

● VERS 839-865. Appréciez le changement dans le ton et dans le rythme du dialogue. Le rôle de Philaminte dans cet exposé des ambitieux projets conçus par les femmes savantes. — Le féminisme de Philaminte a-t-il seulement pour sources des principes philosophiques et moraux ? Quelle rancœur personnelle transparaît à travers les vers 853-854 ? Comparez également à ce point de vue la réplique d'Armande (vers 857-860) aux vers 577-580, prononcés par Chrysale.

BÉLISE

880 Je m'accommode assez, pour moi, des petits corps ;
Mais le vide à souffrir me semble difficile,
Et je goûte bien mieux la matière subtile.

TRISSOTIN

Descartes, pour l'aimant, donne fort dans mon sens.

ARMANDE

J'aime ses tourbillons.

PHILAMINTE

Moi, ses mondes tombants[1].

ARMANDE

885 Il me tarde de voir notre assemblée ouverte
Et de nous signaler par quelque découverte.

TRISSOTIN

On en attend beaucoup de vos vives clartés*,
Et pour vous la nature a peu d'obscurités.

PHILAMINTE

Pour moi, sans me flatter, j'en ai déjà fait une,
890 Et j'ai vu clairement des hommes dans la lune[2].

BÉLISE

Je n'ai point encor vu d'hommes, comme je crois ;
Mais j'ai vu des clochers tout comme je vous vois.

ARMANDE

Nous approfondirons, ainsi que la physique,
Grammaire, histoire, vers, morale et politique.

PHILAMINTE

895 La morale a des traits dont mon cœur est épris,

---

1. Ces trois derniers vers évoquent la physique de Descartes (1596-1650).
La *matière subtile* remplit les interstices des corps ; elle est animée de
mouvements giratoires, ou *tourbillons,* dont le centre est le soleil. Dans son
système, comètes et étoiles filantes sont des *mondes tombants ;* l'*aimant*
constitue un des éléments de la Terre ; 2. Cette question est à la mode.
(Voir la fable de La Fontaine *Un animal dans la lune,* VII, 18.)

───────── **QUESTIONS** ─────────

● Vers 866-884. Le programme de Philaminte, notamment aux vers
872-873, et l'esprit dans lequel elle veut l'appliquer (vers 875-876)
sont-ils absurdes en eux-mêmes ? Qu'est-ce qui fait cependant rire dans
les ambitions de Philaminte ? — Les prises de position philosophiques
de chacun des assistants vous semblent-elles fondées sur des connaissances et des convictions profondes ?
● Vers 885-892. Pourquoi ces prétentions scientifiques font-elles rire ?
Philaminte et Bélise sont-elles qualifiées pour aborder de tels problèmes ? Se rappeler les paroles de Chrysale aux vers 590-594.

Et c'était autrefois l'amour des grands esprits*;
Mais aux stoïciens[1] je donne l'avantage,
Et je ne trouve rien de si beau que leur sage.

ARMANDE

Pour la langue on verra dans peu nos règlements,
900 Et nous y prétendons faire des remuements[2].
Par une antipathie, ou juste ou naturelle[3],
Nous avons pris chacune une haine mortelle
Pour un nombre de mots, soit ou verbes ou noms,
Que mutuellement nous nous abandonnons;
905 Contre eux nous préparons de mortelles sentences,
Et nous devons ouvrir nos doctes conférences
Par les proscriptions de tous ces mots divers
Dont nous voulons purger et la prose et les vers.

PHILAMINTE

Mais le plus beau projet de notre académie,
910 Une entreprise noble et dont je suis ravie,
Un dessein plein de gloire, et qui sera vanté
Chez tous les beaux esprits* de la postérité,
C'est le retranchement de ces syllabes sales
Qui dans les plus beaux mots produisent des scandales,
915 Ces jouets éternels des sots de tous les temps,
Ces fades lieux communs de nos méchants plaisants,
Ces sources d'un amas d'équivoques infâmes
Dont on vient faire insulte à la pudeur des femmes[4].

---

1. Les *stoïciens* ont surtout eu une grande influence par leur morale assez austère : pour eux, le bonheur se trouve dans le culte de la vertu, qui est le fond de la *sagesse*. La préférence de Philaminte pour le stoïcisme n'a rien d'original : de toutes les morales antiques, la morale stoïcienne est celle qui a été le plus souvent admirée dès la Renaissance (voir Montaigne), dans la mesure où elle n'a rien d'incompatible avec l'esprit du christianisme ; **2.** *Remuements :* bouleversements ; **3.** *Juste,* si elle est fondée sur la raison ; *naturelle,* si elle est fondée sur le goût ; **4.** Ce projet n'est pas une pure invention de Molière : non seulement le langage fut épuré de mots vieillis, populaires et provinciaux, mais certains amateurs de beau langage voulurent même éliminer les mots dont la consonance pouvait évoquer, par homonymie, un mot grossier.

■ QUESTIONS ■

● VERS 893-918. Les deux derniers points du programme. — L'adhésion de Philaminte au stoïcisme est-elle compatible avec ce qu'elle a dit au vers 878 ? — L'épuration de la langue telle qu'elle est conçue par les femmes savantes : comment là encore une intention peut-être louable est-elle faussée et déformée ? D'après ce que vous savez des idées de Molière sur le style « naturel », quelle peut être son opinion sur les « puristes » ?

LA RÉCEPTION DE TRISSOTIN
Théâtre Récamier (1960).

BÉLISE ET PHILAMINTE

Théâtre Récamier (1960). Le rôle de Philaminte est tenu par Georges
Wilson, selon la tradition de Molière, qui faisait jouer par un homme
les rôles de vieille femme.

TRISSOTIN

Voilà certainement d'admirables projets!

BÉLISE

920 Vous verrez nos statuts quand ils seront tous faits.

TRISSOTIN

Ils ne sauraient manquer d'être tous beaux et sages.

ARMANDE

Nous serons par nos lois les juges des ouvrages.
Par nos lois, prose et vers, tout nous sera soumis :
Nul n'aura de l'esprit, hors nous et nos amis.
925 Nous chercherons partout à trouver à redire,
Et ne verrons que nous qui sache[1] bien écrire.

---

1. Tournure elliptique : personne d'autre *que nous* qui sache.

─────── QUESTIONS ───────

● VERS 919-926. Comment Armande révèle-t-elle ici son caractère orgueilleux et autoritaire ? Son niveau intellectuel est-il en rapport avec la responsabilité qu'elle attribue au groupe des femmes savantes ? Cherchez les traits comiques de cette réplique, en particulier dans les trois derniers vers. — Par son attitude, Trissotin rend-il aux femmes savantes l'admiration qu'elles lui vouent ? Pourquoi ?

■ SUR L'ENSEMBLE DE LA SCÈNE II. — Les deux parties de cette scène : comment Molière atteint-il à la fois la préciosité et le pédantisme ?

— Le récital poétique donné par Trissotin : comment Molière donne-t-il vie à cette partie de la scène ? Comparez avec la lecture faite par Mascarille (*les Précieuses ridicules*, scène IX) et par Oronte (*le Misanthrope*, acte premier, scène II) : ressemblances et différences.

— Le personnage de Trissotin : comment Molière concentre-t-il sur lui les critiques qu'il a toujours faites aux « beaux esprits » et aux poètes de salon ou de cour ? Est-il seulement un portrait satirique de l'abbé Cotin ? A ce propos, appréciez d'une façon plus générale la part de la satire personnelle dans l'œuvre de Molière. Les contemporains avaient-ils tort de chercher des « clés » à certains personnages ?

— Valeur des poésies de Trissotin, ou plutôt de l'abbé Cotin. Nous est-il facile de juger l'effet que pouvaient faire ces vers sur les spectateurs de 1672, qui comptaient certainement parmi eux des admirateurs de Cotin ? Quelle impression font aujourd'hui ces poèmes ? Ne peut-on y découvrir quelques qualités ?

— L'actualité des questions débattues dans la seconde partie de la scène : en vous aidant des notes, vous indiquerez l'importance des problèmes soulevés et vous imaginerez l'attitude de l'auditoire. Si les mêmes problèmes étaient examinés par des hommes, compétents et dépourvus de ridicule, quelles seraient les réactions du public ?

— Les revendications féministes que Molière présente ici sont-elles neuves ? Qu'y a-t-il de louable dans les ambitions des femmes savantes ? Qu'y a-t-il de ridicule, de naïf et même d'extravagant ? Peut-on déterminer nettement l'attitude de Molière en face de ces revendications ? Retrouve-t-on ici le Molière de *l'École des femmes ?* — Expliquez les préférences philosophiques ou morales de chacune des trois femmes savantes en fonction de la personnalité de chacune d'elles.

Scène III. — LÉPINE, TRISSOTIN, PHILAMINTE, BÉLISE, ARMANDE, HENRIETTE, VADIUS.

LÉPINE, *à Trissotin.*

Monsieur, un homme est là qui veut parler à vous[1].
Il est vêtu de noir et parle d'un ton doux.

TRISSOTIN

C'est cet ami savant* qui m'a fait tant d'instance[2]
930 De lui donner l'honneur de votre connaissance.

PHILAMINTE

Pour le faire venir vous avez tout crédit.
     (A Armande et à Bélise.)
Faisons bien les honneurs au moins de notre esprit*.
     (A Henriette qui s'en va.)
Holà! je vous ai dit en paroles bien claires
Que j'ai besoin de vous.

HENRIETTE

         Mais pour quelles affaires?

PHILAMINTE

935 Venez, on va dans peu vous les faire savoir.

TRISSOTIN

Voici l'homme qui meurt du désir de vous voir.
En vous le produisant, je ne crains point le blâme
D'avoir admis chez vous un profane, madame :
Il peut tenir son coin[3] parmi les beaux esprits*.

---

1. Tournure encore très correcte au XVIIᵉ siècle, elle n'est pas due à une maladresse de langage de la part de Lépine; 2. Voir vers 363 et la note; 3. *Tenir son coin :* tenir sa place (expression venant du jeu de paume).

--- QUESTIONS ---

● Vers 927-935. Comparez cette fièvre des femmes savantes avant l'arrivée de Vadius à leur impatience avant que Trissotin dise ses vers, à la scène précédente. — La constance d'Henriette dans son attitude n'est-elle pas sympathique? Que rappelle Philaminte aux vers 933-934? Sur quel ton parle-t-elle à sa fille?

PHILAMINTE

940 La main qui le présente en dit assez le prix.

TRISSOTIN

Il a des vieux auteurs la pleine intelligence
Et sait du grec, madame, autant qu'homme de France.

PHILAMINTE

Du grec! ô ciel! du grec! Il sait du grec, ma sœur!

BÉLISE

Ah! ma nièce, du grec!

ARMANDE

Du grec! quelle douceur!

PHILAMINTE

945 Quoi! monsieur sait du grec! Ah! permettez, de grâce,
Que, pour l'amour du grec, monsieur, on vous embrasse.
(Il les baise toutes, jusques à Henriette, qui le refuse.)

HENRIETTE

Excusez-moi, monsieur, je n'entends pas le grec.

PHILAMINTE

J'ai pour les livres grecs un merveilleux respect.

VADIUS

Je crains d'être fâcheux[1] par l'ardeur qui m'engage
950 A vous rendre aujourd'hui, madame, mon hommage,
Et j'aurai pu troubler quelque docte* entretien.

PHILAMINTE

Monsieur, avec du grec on ne peut gâter rien.

---

1. *Fâcheux :* importun.

— QUESTIONS —

● Vers 936-948. Quelle valeur symbolique prend ici le grec pour présenter et définir Vadius? pour caractériser les préoccupations des femmes savantes? Le comique de cette présentation de Vadius : dans les mots, dans les caractères, dans la situation.

TRISSOTIN

Au reste, il fait merveille en vers ainsi qu'en prose
Et pourrait, s'il voulait, vous montrer quelque chose.

VADIUS

955 Le défaut des auteurs dans leurs productions,
C'est d'en tyranniser[1] les conversations;
D'être au palais, au cours, aux ruelles[2], aux tables,
De leurs vers fatigants lecteurs infatigables.
Pour moi, je ne vois rien de plus sot, à mon sens,
960 Qu'un auteur qui partout va gueuser[3] des encens;
Qui, des premiers venus saisissant les oreilles,
En fait le plus souvent les martyrs de ses veilles.
On ne m'a jamais vu ce fol entêtement,
Et d'un Grec là-dessus je suis le sentiment,
965 Qui par un dogme exprès défend à tous les sages
L'indigne empressement de lire leurs ouvrages.
Voici de petits vers pour de jeunes amants,
Sur quoi je voudrais bien avoir vos sentiments.

TRISSOTIN

Vos vers ont des beautés que n'ont point tous les autres.

VADIUS

970 Les Grâces et Vénus règnent dans tous les vôtres.

TRISSOTIN

Vous avez le tour libre et le beau choix des mots.

VADIUS

On voit partout chez vous l'*ithos* et le *pathos*[4].

---

1. Les imposer avec despotisme; 2. Au Palais de Justice (v. vers 266 et la note), au Cours-la-Reine, promenades à la mode, dans les chambres où les précieuses recevaient leurs invités; 3. *Gueuser :* mendier; 4. Mots grecs du vocabulaire de la rhétorique : l'*ithos* est la partie de la rhétorique qui traite des mœurs; le *pathos,* celle qui traite des passions. Ce dernier mot a pris aujourd'hui un sens défavorable à cause des exagérations mêmes qui accompagnent l'expression artificielle de sentiments violents.

──────── **QUESTIONS** ────────

● Vers 949-968. La première impression que fait le personnage de Vadius par sa déclaration (jusqu'au vers 966) : l'attitude extérieure de Vadius, son vêtement justifient-ils la rigueur de ses principes? En quoi semble-t-il différer de Trissotin? — L'effet comique des vers 967-968 : l'absence de lien avec ce qui précède ne révèle-t-elle pas la maladresse de Vadius?

TRISSOTIN

Nous avons vu de vous des églogues[1] d'un style
Qui passe en doux attraits Théocrite et Virgile.

VADIUS

975 Vos odes[2] ont un air noble, galant et doux,
Qui laisse de bien loin votre Horace après vous.

TRISSOTIN

Est-il rien d'amoureux comme vos chansonnettes?

VADIUS

Peut-on rien voir d'égal aux sonnets que vous faites?

TRISSOTIN

Rien qui soit plus charmant que vos petits rondeaux?

VADIUS

980 Rien de si plein d'esprit que tous vos madrigaux[3]?

TRISSOTIN

Aux ballades[4] surtout vous êtes admirable.

VADIUS

Et dans les bouts-rimés[5] je vous trouve adorable.

TRISSOTIN

Si la France pouvait connaître votre prix...

---

1. *Eglogue* : poème pastoral. Les *Idylles* de Théocrite, poète grec (v. 315-v. 250 av. J.-C.), et les *Bucoliques* de Virgile, poète latin (70-19 av. J.-C.), sont pour les poètes classiques les modèles du genre. Ménage a écrit des églogues ; **2.** *Ode* : poème lyrique en strophes, dont le thème peut être solennel ou familier. Ménage imita les odes latines d'Horace (64-8 av. J.-C.) ; **3.** *Madrigal* : voir vers 750 et la note ; **4.** La *ballade*, comme le rondeau, avait été remise à la mode par la poésie mondaine du XVIIe siècle (Voiture, Ménage), après avoir été condamnée par la Pléiade ; **5.** *Bouts-rimés* : poème improvisé sur des rimes données ; jeu de salon.

VADIUS

Si le siècle rendait justice aux beaux esprits...

TRISSOTIN

985 En carrosse doré vous iriez par les rues.

VADIUS

On verrait le public vous dresser des statues.
        (*A Trissotin.*)
Hom! C'est une ballade, et je veux que tout net
Vous m'en...

TRISSOTIN

                Avez-vous vu certain petit sonnet
Sur la fièvre qui tient la princesse Uranie?

VADIUS

990 Oui. Hier il me fut lu dans une compagnie.

TRISSOTIN

Vous en savez l'auteur?

VADIUS

                    Non; mais je sais fort bien
Qu'à ne le point flatter son sonnet ne vaut rien.

TRISSOTIN

Beaucoup de gens pourtant le trouvent admirable.

VADIUS

Cela n'empêche pas qu'il ne soit misérable;
995 Et, si vous l'avez vu, vous serez de mon goût.

TRISSOTIN

Je sais que là-dessus je n'en suis point du tout,
Et que d'un tel sonnet peu de gens sont capables.

━━━━━━━ **QUESTIONS** ━━━━━━━

● Vers 969-986. La symétrie des répliques. Quel est celui des deux interlocuteurs qui mène le jeu et oblige l'autre à la surenchère? Qu'en conclure sur le talent de l'un et de l'autre? — Le ridicule des comparaisons : montrez-en l'outrance d'après les notes concernant les genres et les écrivains de l'Antiquité cités ici. — Appréciez les adjectifs employés par Vadius et Trissotin pour s'encenser l'un l'autre : sont-ils précis? ont-ils quelque rapport nécessaire avec la poésie ou peut-on en dire autant de n'importe quoi? — Comparez ces assauts de compliments aux commentaires des femmes savantes (acte III, scène II), jugeant les poésies de Trissotin. — Quelles préoccupations, souvent rappelées en allusions par les écrivains et les critiques du XVIIᵉ siècle, se font jour dans les vers 985-986?

VADIUS

Me préserve le ciel d'en faire de semblables!

TRISSOTIN

Je soutiens qu'on ne peut en faire de meilleur;
1000 Et ma grande raison, c'est que j'en suis l'auteur.

VADIUS

Vous?

TRISSOTIN

Moi.

VADIUS

Je ne sais donc comment se fit l'affaire.

TRISSOTIN

C'est qu'on fut malheureux de ne pouvoir vous plaire.

VADIUS

Il faut qu'en écoutant j'aie eu l'esprit distrait,
Ou bien que le lecteur m'ait gâté le sonnet.
1005 Mais laissons ce discours, et voyons ma ballade.

TRISSOTIN

La ballade, à mon goût, est une chose fade.
Ce n'en est plus la mode, elle sent son vieux temps.

VADIUS

La ballade pourtant charme beaucoup de gens.

TRISSOTIN

Cela n'empêche pas qu'elle ne me déplaise.

VADIUS

1010 Elle n'en reste pas pour cela plus mauvaise.

TRISSOTIN

Elle a pour les pédants* de merveilleux appas.

VADIUS

Cependant nous voyons qu'elle ne vous plaît pas.

─────── QUESTIONS ───────

● Vers 987-1005. Qui est-ce qui engage la querelle? Quel aspect de
son caractère révèle Trissotin au vers 988? — Vadius est-il très per-
spicace? Lorsqu'il s'aperçoit de sa bévue, quelle est son attitude?
Appréciez-la sur le plan mondain, sur le plan humain. Son effort de
conciliation (vers 1003-1005) ne mérite-t-il pas meilleur accueil?
Comment se prête-t-il, inconsciemment, à une revanche de Trissotin?

TRISSOTIN

Vous donnez sottement vos qualités aux autres.

VADIUS

Fort impertinemment vous me jetez les vôtres.

TRISSOTIN

1015 Allez, petit grimaud[1], barbouilleur de papier.

VADIUS

Allez, rimeur de balle[2], opprobre du métier.

TRISSOTIN

Allez, fripier[3] d'écrits, impudent plagiaire.

VADIUS

Allez, cuistre[4]...

PHILAMINTE

Eh! messieurs, que prétendez-vous faire?

TRISSOTIN

Va, va restituer tous les honteux larcins
1020 Que réclament sur toi les Grecs et les Latins.

VADIUS

Va, va-t'en faire amende honorable au Parnasse
D'avoir fait à tes vers estropier Horace.

TRISSOTIN

Souviens-toi de·ton livre et de son peu de bruit.

VADIUS

Et toi, de ton libraire à l'hôpital[5] réduit.

---

1. *Grimaud* : ignorant. « Terme injurieux dont les grands écoliers se servent pour injurier les petits » (*Dictionnaire* de Furetière) ; 2. Poète de pacotille ; la *balle* était le paquet du colporteur et les marchandises de la balle étaient de peu de valeur ; 3. Le *fripier* tire parti des vieux habits pour les revendre ; Vadius-Ménage fait la même chose avec les œuvres des écrivains anciens qu'il utilise dans ses propres œuvres en les plagiant ; 4. *Cuistre* : valet de collège, pédant et crasseux ; 5. *Hôpital* : ici, hospice pour indigents.

● **QUESTIONS** ●

● VERS 1006-1018. Comment Trissotin fait-il rebondir la querelle ? Son opinion sur la ballade a-t-elle une justification en 1672 ? Etudiez la vigueur et la couleur des expressions que les deux pédants se jettent au visage. Qui mène encore le jeu ? — L'intervention de Philaminte : sait-elle diriger un salon littéraire et faire face aux incidents éventuels ? Imaginez ce qu'aurait fait Célimène à sa place.

TRISSOTIN

1025 Ma gloire est établie, en vain tu la déchires.

VADIUS

Oui, oui, je te renvoie à l'auteur des *Satires*[1].

TRISSOTIN

Je t'y renvoie aussi.

VADIUS

J'ai le contentement
Qu'on voit qu'il m'a traité plus honorablement.
Il me donne en passant une atteinte légère[2],
1030 Parmi plusieurs auteurs qu'au Palais[3] on révère[4];
Mais jamais dans ses vers il ne te laisse en paix,
Et l'on t'y voit partout être en butte à ses traits.

TRISSOTIN

C'est par là que j'y tiens un rang plus honorable.
Il te met dans la foule ainsi qu'un misérable;
1035 Il croit que c'est assez d'un coup pour t'accabler,
Et ne t'a jamais fait l'honneur de redoubler;
Mais il m'attaque à part comme un noble adversaire
Sur qui tout son effort lui semble nécessaire;
Et ses coups, contre moi redoublés en tous lieux,
1040 Montrent qu'il ne se croit jamais victorieux.

VADIUS

Ma plume t'apprendra quel homme je puis être.

TRISSOTIN

Et la mienne saura te faire voir ton maître.

---

1. Boileau, qui, dans sa *Satire IX,* s'acharne à neuf reprises contre l'abbé Cotin ; **2.** Boileau, *Satire IX,* vers 86 ; **3.** Voir vers 266 et la note ; **4.** Les autres écrivains raillés par Boileau sont surtout Chapelain, Scudéry et Quinault, qui ne manquaient pas d'admirateurs.

● **QUESTIONS**

● Vers 1019-1040. Comparez le tutoiement qui apparaît ici à celui qui surgit, dans les tragédies classiques, aux moments pathétiques. Ne glisse-t-on pas vers la parodie, suggérée par la personnalité des protagonistes ? Quelle est la portée des reproches formulés aux vers 1019-1020 et 1021-1022 ? — L'introduction de Boileau dans cette querelle : sa valeur d' « actualité » pour les spectateurs de l'époque ; en quoi est-ce aussi une façon de préciser les modèles de Vadius et de Trissotin ? — L'argumentation de Trissotin aux vers 1033-1040 est-elle complètement fausse en principe ? Comment la vanité peut-elle tirer parti de l'hostilité qu'on lui témoigne ?

VADIUS

Je te défie en vers, prose, grec et latin.

TRISSOTIN

Hé bien! nous nous verrons seul à seul chez Barbin[1].

Scène IV. — TRISSOTIN, PHILAMINTE, ARMANDE, BÉLISE, HENRIETTE.

TRISSOTIN

1045 A mon emportement ne donnez aucun blâme :
C'est votre jugement que je défends, madame,
Dans le sonnet qu'il a l'audace d'attaquer.

PHILAMINTE

A vous remettre bien je me veux appliquer.
Mais parlons d'autre affaire. Approchez, Henriette.
1050 Depuis assez longtemps mon âme s'inquiète
De ce qu'aucun esprit[2]* en vous ne se fait voir;
Mais je trouve un moyen de vous en faire avoir.

HENRIETTE

C'est prendre un soin pour moi qui n'est pas nécessaire.

---

1. *Barbin :* libraire connu qui tenait boutique à la galerie du Palais de Justice ; il était l'éditeur de Boileau et de Molière. Cette querelle entre Vadius et Trissotin peut avoir pour modèle une querelle qui opposa réellement Cotin et Ménage ; le premier ayant écrit un madrigal sur la surdité de Mlle de Scudéry, Ménage prit la défense de celle-ci, et il s'ensuivit un échange d'épigrammes ; 2. *Esprit :* ici, curiosité, activité intellectuelle.

———— QUESTIONS ————

● Vers 1041-1044. La parodie des provocations en duel dans cette fin de scène ? Montrez que, parmi les éléments qui provoquaient le rire, l'un des moins négligeables était de montrer l'homme de lettres, méprisé par l'homme d'épée, empruntant à ce dernier ses mœurs et son vocabulaire. Quel usage en fait ici Molière ?

■ Sur l'ensemble de la scène iii. — Importance de cette scène. Qu'est-ce qui la différencie de la précédente ?

— Comment expliquer l'enthousiasme des dames pour le grec ?

— En quoi est comique le vers 928 par rapport à ce qui va se passer ? L'habit noir de Vadius n'est-il pas révélateur de sa personnalité : a-t-il l'usage du monde ? Etudiez cet aspect du personnage au cours de la scène, son comportement, son langage. Opposez sa vanité à celle de Trissotin.

— Etudiez les procédés comiques : contrastes, contradiction, accumulation.

— Comparez cette scène à l'extrait de la comédie de Saint-Evremond, *les Académistes*, reproduit dans la Documentation thématique.

Les doctes* entretiens ne sont point mon affaire.
1055 J'aime à vivre aisément¹, et dans tout ce qu'on dit
Il faut se trop peiner pour avoir de l'esprit.
C'est une ambition que je n'ai point en tête.
Je me trouve fort bien, ma mère, d'être bête.
Et j'aime mieux n'avoir que de communs propos
1060 Que de me tourmenter pour dire de beaux mots.

PHILAMINTE

Oui; mais j'y² suis blessée, et ce n'est pas mon compte
De souffrir dans mon sang une pareille honte.
La beauté du visage est un frêle ornement,
Une fleur passagère, un éclat d'un moment,
1065 Et qui n'est attaché qu'à la simple épiderme³;
Mais celle de l'esprit* est inhérente⁴ et ferme.
J'ai donc cherché longtemps un biais de vous donner
La beauté que les ans ne peuvent moissonner,
De faire entrer chez vous le désir des sciences*,
1070 De vous insinuer les belles connaissances;
Et la pensée enfin où mes vœux ont souscrit,
C'est d'attacher à vous un homme plein d'esprit*,
Et cet homme est monsieur, que je vous détermine⁵
A voir comme l'époux que mon choix vous destine.

HENRIETTE

1075 Moi, ma mère?

PHILAMINTE

Oui, vous. Faites la sotte un peu.

BÉLISE, *à Trissotin.*

Je vous entends. Vos yeux demandent mon aveu
Pour engager ailleurs un cœur que je possède.
Allez, je le veux bien. A ce nœud je vous cède :
C'est un hymen qui fait votre établissement.

---

1. *Aisément :* sans contrainte; 2. Voir vers 302 et la note; 3. Le mot est aujourd'hui masculin; 4. *Inhérent :* attaché à la même personne; 5. Que je vous oblige par ma décision.

━━━ **QUESTIONS** ━━━━━━━━━━━━━━━━━━━━━━━━━━━━━━

● Vers 1045-1060. Comment liquide-t-on l'incident de la scène précédente? Pourquoi Trissotin, si acharné un instant auparavant, se calme-t-il si facilement? Est-ce courtoisie de sa part, mansuétude ou impression d'avoir gagné la partie? N'attendions-nous pas depuis longtemps les paroles de Philaminte? — Comparez Henriette à son père, ici. Ne se fait-elle pas plus prosaïque qu'elle n'est en réalité? — Les scènes auxquelles vient d'assister Henriette ont-elles pu affermir sa décision?

TRISSOTIN, *à Henriette.*

1080 Je ne sais que vous dire en mon ravissement,
Madame, et cet hymen dont je vois qu'on m'honore.
Me met...

HENRIETTE

Tout beau[1], monsieur! il n'est pas fait encore;
Ne vous pressez pas tant.

PHILAMINTE

Comme vous répondez!
Savez-vous bien que si...? Suffit, vous m'entendez.
(*A Trissotin.*)
1085 Elle se rendra sage. Allons, laissons-la faire.

Scène V. — HENRIETTE, ARMANDE.

ARMANDE

On voit briller pour vous les soins de notre mère;
Et son choix ne pouvait d'un plus illustre époux...

HENRIETTE

Si le choix est si beau, que ne le prenez-vous?

ARMANDE

C'est à vous, non à moi, que sa main est donnée.

HENRIETTE

1090 Je vous le cède tout[2], comme à ma sœur aînée.

ARMANDE

Si l'hymen, comme à vous, me paraissait charmant,
J'accepterais votre offre avec ravissement.

1. Voir vers 276 et la note ; 2. Entièrement, donc sans hésitation.

● QUESTIONS ●

● Vers 1061-1085. La tirade de Philaminte : sa rhétorique, les éléments justes et les conséquences ridicules qu'elle en tire. Dans quel dessein sont imaginées les sottises de Bélise (vers 1076-1079) ? — Qualifiez l'attitude de Trissotin (vers 1080-1082) : quel aspect de son caractère apparaît ici ? Le ton des trois dernières répliques. Qu'est-ce qui justifie, dans l'esprit de Philaminte, le dernier vers ?

■ Sur l'ensemble de la scène IV. — Etudiez ici les rapports de la mère et de la fille, le ton des deux personnages. — Le ravissement de Trissotin n'aurait-il pu passer pour plus vraisemblable s'il avait été tourné vers Armande ?

— Quelle inquiétude laisse planer le vers 1085, qui termine la scène ? Quels éléments d'espoir nous restent ? Sont-ils fondés sur Chrysale ?

HENRIETTE

Si j'avais, comme vous, les pédants* dans la tête.
Je pourrais le trouver un parti fort honnête[1].

ARMANDE

1095 Cependant, bien qu'ici nos goûts soient différents,
Nous devons obéir, ma sœur, à nos parents ;
Une mère a sur nous une entière puissance,
Et vous croyez en vain par votre résistance...

Scène VI. — CHRYSALE, ARISTE, CLITANDRE, HENRIETTE, ARMANDE.

CHRYSALE, *à Henriette, en lui présentant Clitandre.*

Allons, ma fille, il faut approuver mon dessein.
1100 Ôtez ce gant[2]. Touchez à monsieur dans la main,
Et le considérez[3] désormais dans votre âme
En homme dont je veux que vous soyez la femme.

ARMANDE

De ce côté, ma sœur, vos penchants sont fort grands.

HENRIETTE

Il nous faut obéir, ma sœur, à nos parents ;
1105 Un père a sur nos vœux une entière puissance.

ARMANDE

Une mère a sa part à notre obéissance.

CHRYSALE

Qu'est-ce à dire ?

ARMANDE

Je dis que j'appréhende fort
Qu'ici ma mère et vous ne soyez pas d'accord,
Et c'est un autre époux...

---

1. *Honnête* : convenable ; 2. Henriette, comme sa mère et sa sœur, portait des gants pendant la réception qui a précédé cette scène ; 3. Voir vers 41 et la note.

QUESTIONS

■ Sur la scène V. — Montrez que la querelle marque une étape : laquelle ? Armande est-elle attirée vers Trissotin ? Pourquoi refuse-t-elle pourtant la solution proposée par Henriette ? Quels sentiments sont les plus forts en elle ? — Comment Armande tire-t-elle argument du respect dû à l'autorité des parents ? Est-ce la première fois que cet aspect du problème est évoqué ? Comparez cette scène à la scène première de l'acte premier.

CHRYSALE

Taisez-vous, péronnelle[1].
1110 Allez philosopher tout le soûl avec elle,
Et de mes actions ne vous mêlez en rien.
Dites-lui ma pensée et l'avertissez[2] bien
Qu'elle ne vienne pas m'échauffer les oreilles.
Allons, vite.

ARISTE

Fort bien : vous faites des merveilles.

CLITANDRE

1115 Quel transport! quelle joie! Ah! que mon sort est doux!

CHRYSALE, *à Clitandre.*

Allons, prenez sa main et passez devant nous,
        (A Ariste.)
Menez-la dans sa chambre. Ah! les douces caresses!
Tenez, mon cœur s'émeut à toutes ces tendresses;
Cela regaillardit tout à fait mes vieux jours,
1120 Et je me ressouviens de mes jeunes amours.

---

1. *Péronnelle :* femme sotte et babillarde ; 2. Voir vers 41 et la note.

──────── QUESTIONS ────────

■ SUR LA SCÈNE VI. — Sur quoi cette scène s'oppose-t-elle aux deux précédentes ? — Le comique de l'intervention, à point nommé, de Chrysale. La valeur de la remarque d'Ariste au vers 1114. Est-ce un geste isolé de sa part ou bien une nouvelle marque d'un plan tracé ? Est-on sûr que, malgré ces encouragements, Chrysale restera aussi ferme lorsqu'il sera en présence de sa femme ?

— Soulignez l'effet produit par les vers 1104-1105 : 1° après la scène précédente ; 2° prononcés en présence de Chrysale. Les vers 1110-1111 ne doivent-ils pas mettre le comble à l'humeur vindicative d'Armande ? Que va-t-elle faire ?

■ SUR L'ENSEMBLE DE L'ACTE III. — Comment nous apparaissent les femmes savantes en présence de leurs invités ? Montrez qu'elles se comportent suivant le caractère que nous leur connaissons.

— La satire des mœurs dans cet acte : un salon bourgeois accueillant de beaux esprits médiocres; le monde littéraire : sa vanité, son peu de valeur.

— Trissotin et Vadius : quels travers d'esprit ridicule-t-il en eux ?
— Etudiez le comique dans cet acte : la variété dans les moyens d'expression ; sa judicieuse répartition.
— Comment la situation a-t-elle évolué depuis le début de l'acte ? Quel problème reste posé ? Avons-nous confiance dans l'issue de la pièce ? Pourquoi ?

ACTE IV

Scène première. — ARMANDE, PHILAMINTE.

ARMANDE

Oui, rien n'a retenu son esprit en balance.
Elle a fait vanité de son obéissance.
Son cœur, pour se livrer, à peine devant moi
S'est-il donné le temps d'en recevoir la loi,
1125 Et semblait suivre moins les volontés d'un père
Qu'affecter de braver les ordres d'une mère.

PHILAMINTE

Je lui montrerai bien aux lois de qui des deux
Les droits de la raison* soumettent tous ses vœux,
Et qui doit gouverner, ou sa mère ou son père,
1130 Ou l'esprit* ou le corps, la forme ou la matière[1]*.

ARMANDE

On vous en[2] devait bien au moins un compliment,
Et ce petit monsieur en use étrangement
De vouloir malgré vous devenir votre gendre.

PHILAMINTE

Il n'en est pas encore où son cœur peut prétendre.
1135 Je le trouvais bien fait, et j'aimais vos amours;
Mais, dans ses procédés, il m'a déplu toujours.
Il sait que, Dieu merci, je me mêle d'écrire,
Et jamais il ne m'a prié[3] de lui rien lire.

---

1. Selon la philosophie d'Aristote, la *forme* est le principe qui organise et anime la *matière,* masse inerte, pour créer des êtres distincts; **2.** *En :* en cette circonstance ; **3.** Sans accord : la règle d'accord du participe passé n'est pas encore fixée.

——— **QUESTIONS** ———————————————

■ Sur la scène première. — Comment Armande arrive-t-elle à « monter la tête » à sa mère contre Henriette ? puis contre Clitandre ? Son attitude ne prouve-t-elle pas qu'elle connaît bien sa mère ? En quoi est-elle odieuse ?

— Quels éléments de la dernière scène de l'acte précédent expliquent l'attitude d'Armande ? Montrez qu'ils ne font qu'accentuer une rivalité et une jalousie antérieures.

Scène II. — CLITANDRE, *entrant doucement et évitant de se montrer ;* ARMANDE, PHILAMINTE.

ARMANDE

Je ne souffrirais point, si j'étais que de vous,
1140 Que jamais d'Henriette il pût être l'époux.
On me ferait grand tort d'avoir quelque pensée[1]
Que là-dessus je parle en fille intéressée,
Et que le lâche tour que l'on voit qu'il me fait
Jette au fond de mon cœur quelque dépit secret.
1145 Contre de pareils coups l'âme* se fortifie
Du solide secours de la philosophie,
Et par elle on se peut mettre au-dessus de tout ;
Mais vous traiter ainsi, c'est vous pousser à bout[2].
Il est de votre honneur d'être à ses vœux contraire,
1150 Et c'est un homme enfin qui ne doit point vous plaire.
Jamais je n'ai connu, discourant[3] entre nous,
Qu'il eût au fond du cœur de l'estime pour vous.

PHILAMINTE

Petit sot !

ARMANDE

Quelque bruit que votre gloire fasse,
Toujours à vous[4] louer il a paru de glace.

PHILAMINTE

1155 Le brutal !

ARMANDE

Et vingt fois, comme ouvrages nouveaux,
J'ai lu des vers de vous qu'il n'a point trouvés beaux.

PHILAMINTE

L'impertinent[5] !

ARMANDE

Souvent nous en[6] étions aux prises ;
Et vous ne croiriez point de combien de sottises...

---

1. Si on avait de quelque façon la pensée ; 2. *Pousser à bout :* contraindre par force (et non « mettre en colère ») ; 3. Lorsque nous nous entretenions (v. vers 559 et la note) ; 4. Pour vous louer ; 5. Voir vers 738 et la note ; 6. *En :* à cause de cela.

● QUESTIONS

● VERS 1139-1158. Quelle est la tactique d'Armande dans la première partie de cette scène ? Soulignez son habileté. Comment se révèle son hypocrisie ? Pourquoi, loin d'être percée à jour, est-elle reçue sans être soupçonnée ? Comment, après un début prudent, s'étend-elle sur le point qui touche le plus sa mère ?

Le Bargy
dans le rôle de Clitandre
(1880).

CLITANDRE

Eh! doucement, de grâce. Un peu de charité,
1160 Madame, ou tout au moins un peu d'honnêteté.
Quel mal vous ai-je fait? et quelle est mon offense
Pour armer contre moi toute votre éloquence?
Pour vouloir me détruire[1] et prendre tant de soin
De me rendre odieux aux gens dont j'ai besoin?
1165 Parlez, dites, d'où vient ce courroux effroyable?
Je veux bien que madame en soit juge équitable.

ARMANDE

Si j'avais le courroux dont on veut m'accuser,
Je trouverais assez de quoi l'autoriser.
Vous en seriez trop digne, et les premières flammes
1170 S'établissent des droits si sacrés sur les âmes*
Qu'il faut perdre fortune[2] et renoncer au jour
Plutôt que de brûler des feux d'un autre amour.
Au changement de vœux nulle horreur ne s'égale,
Et tout cœur infidèle est un monstre en morale.

CLITANDRE

1175 Appelez-vous, madame, une infidélité
Ce que m'a de votre âme* ordonné la fierté[3]?
Je ne fais qu'obéir aux lois qu'elle m'impose,
Et, si je vous offense, elle seule en est cause.
Vos charmes ont d'abord[4] possédé tout mon cœur.
1180 Il a brûlé deux ans d'une constante ardeur;
Il n'est soins empressés, devoirs, respects, services,
Dont il ne vous ait fait d'amoureux sacrifices[5].

---

1. *Détruire* : perdre, ruiner la réputation ; 2. *Perdre fortune* : sacrifier
volontairement sa situation ; 3. *Fierté* : cruauté ; 4. *D'abord* : dès l'abord,
tout de suite ; 5. Comme à une divinité qu'on adore.

QUESTIONS

● Vers 1159-1174. Le comique de l'apparition de Clitandre : si on se
rappelle le plan conçu par Clitandre et Henriette à la scène III de l'acte
premier, cette arrivée est-elle normale ? — Le ton d'Armande (vers
1167-1174), faisant face à la surprise : continuité avec le début de la
scène; son âpreté nouvelle et plus directe. Pourquoi n'est-elle pas
décontenancée par l'intervention de Clitandre? Son argument la met-il
en position de supériorité par rapport à lui?

Tous mes feux, tous mes soins, ne peuvent rien sur vous;
Je vous trouve contraire à mes vœux les plus doux :
1185 Ce que vous refusez, je l'offre au choix d'une autre.
Voyez : est-ce, madame, ou ma faute ou la vôtre?
Mon cœur court-il au change[1] ou si[2] vous l'y poussez?
Est-ce moi qui vous quitte, ou vous qui me chassez?

ARMANDE

Appelez-vous, monsieur, être à vos vœux contraire
1190 Que de leur arracher ce qu'ils ont de vulgaire*
Et vouloir les réduire à cette pureté*
Où du parfait amour consiste la beauté?
Vous ne sauriez pour moi tenir votre pensée
Du commerce[3] des sens* nette et débarrassée?
1195 Et vous ne goûtez point dans ses plus doux appas
Cette union des cœurs où les corps n'entrent pas?
Vous ne pouvez aimer que d'une amour[4] grossière*,
Qu'avec tout l'attirail des nœuds de la matière*;
Et, pour nourrir les feux que chez vous on produit,
1200 Il faut un mariage, et tout ce qui s'ensuit.
Ah! quel étrange amour! et que les belles âmes*
Sont bien loin de brûler de ces terrestres flammes!
Les sens* n'ont point de part à toutes leurs ardeurs*,
Et ce beau feu ne veut marier que les cœurs;
1205 Comme une chose indigne il laisse là le reste.
C'est un feu pur et net comme le feu céleste;
On ne pousse avec lui que d'honnêtes soupirs,
Et l'on ne penche point vers les sales* désirs.
Rien d'impur* ne se mêle au but qu'on se propose.
1210 On aime pour aimer, et non pour autre chose.
Ce n'est qu'à l'esprit* seul que vont tous les transports,
Et l'on ne s'aperçoit jamais qu'on ait un corps[5].

---

1. *Change* : inconstance en amour; 2. *Si* : est-ce que; 3. *Commerce* : relation, fréquentation; 4. *Amour* est encore, au xviie siècle, d'un genre indécis; 5. Toute cette théorie de l'amour est inspirée du platonisme.

──────── **QUESTIONS** ────────

● Vers 1175-1188. Est-ce tellement à Armande que Clitandre s'adresse ici? Comparez cette tirade aux vers 135-145. Quelle conception de l'amour soutient ici la logique de Clitandre? A-t-il des chances de convaincre Philaminte?

CLITANDRE

Pour moi, par un malheur, je m'aperçois, madame,
Que j'ai, ne vous déplaise, un corps tout comme une âme* ;
1215 Je sens qu'il y tient trop pour le laisser à part ;
De ces détachements* je ne connais point l'art ;
Le ciel m'a dénié[1] cette philosophie,
Et mon âme* et mon corps marchent de compagnie.
Il n'est rien de plus beau, comme vous avez dit,
1220 Que ces vœux épurés qui ne vont qu'à l'esprit*,
Ces unions de cœurs, et ces tendres pensées
Du commerce des sens* si bien débarrassées ;
Mais ces amours pour moi sont trop subtilisés[2] :
Je suis un peu grossier*, comme vous m'accusez ;
1225 J'aime avec tout moi-même, et l'amour qu'on me donne
En veut, je le confesse, à toute la personne.
Ce n'est pas là matière à de grands châtiments ;
Et, sans faire de tort à vos beaux sentiments,
Je vois que dans le monde on suit fort ma méthode,
1230 Et que le mariage est assez à la mode,
Passe pour un lien assez honnête et doux,
Pour avoir désiré[3] de me voir votre époux,
Sans que la liberté d'une telle pensée
Ait dû vous donner lieu d'en paraître offensée.

ARMANDE

1235 Hé bien, monsieur, hé bien, puisque, sans m'écouter,

---

1. *Dénier* : refuser ; 2. *Subtilisé* : raffiné au point d'en être immatériel ;
3. Pour que j'aie désiré (v. vers 432 et 516).

● **QUESTIONS** ─────────────

● Vers 1189-1234. Les revendications d'Armande (1189-1212) :
comment se complète ici le point de vue qu'elle avait soutenu contre
Henriette à la scène première de l'acte premier ? Sa définition de l'amour
platonique est-elle bien nouvelle ? Est-elle ridicule en elle-même ?
Pourquoi cette tirade devient-elle ridicule quand on sait le caractère
d'Armande, ses travers d'esprit et de cœur, le milieu social auquel elle
appartient ? En outre, cet idéal ne paraissait-il pas démodé en 1672 ? —
La réponse de Clitandre (vers 1213-1234) : comment cette tirade fait-elle
équilibre à celle d'Armande par sa longueur, par le poids de ses
arguments ? Montrez que Clitandre défend son point de vue avec
autant de chaleur qu'Armande défendait le sien : quel est en effet
l'enjeu de cette discussion ?

Vos sentiments brutaux* veulent se contenter;
Puisque, pour vous réduire à des ardeurs fidèles,
Il faut des nœuds de chair, des chaînes corporelles*,
Si ma mère le veut, je résous mon esprit*
1240 A consentir pour vous à ce dont il s'agit.

CLITANDRE

Il n'est plus temps, madame : une autre a pris la place;
Et par un tel retour j'aurais mauvaise grâce
De maltraiter l'asile et blesser les bontés
Où je me suis sauvé de toutes vos fiertés[1].

PHILAMINTE

1245 Mais enfin comptez-vous, monsieur, sur mon suffrage,
Quand vous vous promettez cet autre mariage?
Et, dans vos visions[2], savez-vous, s'il vous plaît,
Que j'ai pour Henriette un autre époux tout prêt?

CLITANDRE

Eh! madame, voyez votre choix, je vous prie;
1250 Exposez-moi, de grâce, à moins d'ignominie
Et ne me rangez pas à l'indigne destin
De me voir le rival de monsieur Trissotin.
L'amour des beaux esprits*, qui chez vous[3] m'est contraire,
Ne pouvait m'opposer un moins noble adversaire.
1255 Il en est, et plusieurs, que, pour le bel esprit*,
Le mauvais goût du siècle a su mettre en crédit;
Mais monsieur Trissotin n'a pu duper personne
Et chacun rend justice aux écrits qu'il nous donne.
Hors céans[4], on le prise[5] en tous lieux ce qu'il vaut;
1260 Et ce qui m'a vingt fois fait tomber de mon haut,
C'est de vous voir au ciel élever des sornettes
Que vous désavoueriez si vous les aviez faites.

---

1. Voir vers 1176 et la note; 2. *Visions* : voir vers 213 et la note; 3. *Chez vous* : en vous; 4. *Céans* : voir vers 385 et la note; 5. *Priser* : estimer.

QUESTIONS

● Vers 1235-1244. A quelle illusion Armande se laisse-t-elle entraîner? Résultat de ce quiproquo; la vanité d'Armande capitule-t-elle complètement? Le sentiment du spectateur à son égard. — La victoire de Clitandre sur Armande.

PHILAMINTE

Si vous jugez de lui tout autrement que nous,
C'est que nous le voyons par d'autres yeux que vous.

Scène III. — TRISSOTIN, ARMANDE, PHILAMINTE, CLITANDRE.

TRISSOTIN

1265 Je viens vous annoncer une grande nouvelle.
Nous l'avons, en dormant, madame, échappé belle :
Un monde[1] près de nous a passé tout du long,
Est chu tout au travers de notre tourbillon[2];
Et, s'il eût en chemin rencontré notre terre,
1270 Elle eût été brisée en morceaux comme verre.

PHILAMINTE

Remettons ce discours pour une autre saison,
Monsieur n'y trouverait ni rime ni raison;
Il fait profession de chérir l'ignorance*,

---

1. *Un monde :* un astre. Cotin avait écrit des *Galanteries sur la comète apparue en décembre 1664 et janvier 1665 ;* 2. Voir vers 884 et la note.

━━━━ ● QUESTIONS ━━━━━━━━━━━━━━━━━━━━━━━

● Vers 1245-1264. Pourquoi Philaminte intervient-elle ? Sur quel ton parle-t-elle à Clitandre ? La valeur de son argument (vers 1248). — Analysez les marques de mépris dans la réplique de Clitandre. Comment, par généralisation, le débat s'élargit-il à toute une catégorie d'auteurs ? Ne sent-on pas, là encore, Molière derrière son personnage ? La dureté du vers 1259. Que penser des vers 1260-1261 (intention ; résultat obtenu ; causes de l'échec) ? — Comment Philaminte essaie-t-elle dans les deux derniers vers de reconquérir la supériorité d'une femme savante sur celui que Trissotin appellera un *ignorant* de la Cour ?

■ Sur l'ensemble de la scène II. — Composition de cette scène. Sa valeur comique. Son utilité pour l'action.
— Comment les personnages aux prises ici achèvent-ils de révéler leur caractère ? Malgré la situation dans laquelle elle se trouve, Armande nous inspire-t-elle de la pitié ? Pourquoi ? L'appui qu'apporte au dernier moment Philaminte à sa fille contre Clitandre est-il dû à son sentiment maternel ? à la solidarité qui unit les femmes savantes ? à son orgueil, habilement piqué par Armande à la scène précédente ?
— Les thèses en présence : leur conflit est-il neuf dans le théâtre de Molière ? Cherchez, dans d'autres pièces de ce dernier, des prises de position participant du même esprit, même si les problèmes posés ne sont pas rigoureusement identiques à celui-ci.

Et de haïr surtout l'esprit et la science*.

CLITANDRE

1275 Cette vérité veut quelque adoucissement.
Je m'explique, madame; et je hais seulement
La science* et l'esprit* qui gâtent les personnes.
Ce sont choses de soi qui sont belles et bonnes;
Mais j'aimerais mieux être au rang des ignorants*
1280 Que de me voir savant* comme certaines gens.

TRISSOTIN

Pour moi, je ne tiens pas, quelque effet qu'on suppose,
Que la science* soit pour gâter quelque chose.

CLITANDRE

Et c'est mon sentiment qu'en faits comme en propos
La science* est sujette à faire de grands sots[1]*.

TRISSOTIN

1285 Le paradoxe est fort.

CLITANDRE

Sans être fort habile,
La preuve m'en serait, je pense, assez facile.
Si les raisons manquaient, je suis sûr qu'en tout cas
Les exemples fameux ne me manqueraient pas.

TRISSOTIN

Vous en pourriez citer qui ne concluraient guère.

CLITANDRE

1290 Je n'irais pas bien loin pour trouver mon affaire.

---

1. La Mothe Le Vayer (v. vers 580 et la note) écrit dans sa *Prose chagrine* : « Je préfère en beaucoup de façons un modeste ignorant à un vain et présomptueux savant. »

───── QUESTIONS ─────

● Vers 1265-1280. Valeur scénique de cette entrée de Trissotin. Est-il, cette fois, question de poésie ? — Comment Philaminte tente-t-elle de mettre Clitandre en fâcheuse situation (vers 1271-1274) ? En quoi sa maladresse la rend-elle vulnérable ? — Les idées de Clitandre (vers 1275-1280) : rapprochez-les de celles de Montaigne sur le pédantisme. L'habile combinaison des formules à valeur générale et des traits destinés à Trissotin et aux femmes savantes.

TRISSOTIN

Pour moi, je ne vois pas ces exemples fameux.

CLITANDRE

Moi, je les vois si bien qu'ils me crèvent les yeux.

TRISSOTIN

J'ai cru jusques ici que c'était l'ignorance*
Qui faisait les grands sots*, et non pas la science*.

CLITANDRE

1295 Vous avez cru fort mal, et je vous suis garant
Qu'un sot* savant* est sot* plus qu'un sot* ignorant*.

TRISSOTIN

Le sentiment commun est contre vos maximes,
Puisque ignorant* et sot* sont termes synonymes.

CLITANDRE

Si vous le voulez prendre aux usages du mot[1],
1300 L'alliance est plus grande entre pédant* et sot*.

TRISSOTIN

La sottise* dans l'un se fait voir toute pure.

CLITANDRE

Et l'étude* dans l'autre ajoute à la nature.

TRISSOTIN

Le savoir* garde en soi son mérite éminent.

CLITANDRE

Le savoir* dans un fat[2] devient impertinent[3].

TRISSOTIN

1305 Il faut que l'ignorance* ait pour vous de grands charmes,
Puisque pour elle ainsi vous prenez tant les armes.

CLITANDRE

Si pour moi l'ignorance* a des charmes bien grands,
C'est depuis qu'à mes yeux s'offrent certains savants*.

---

1. Si vous portez la discussion sur les usages du mot ; **2.** *Fat* : « Sot, sans esprit, qui ne dit que des fadaises » (*Dictionnaire* de Furetière) ; **3.** *Impertinent :* ici, au sens étymologique, « qui ne convient pas ».

TRISSOTIN

Ceš certains savants*-là peuvent, à les connaître,
1310 Valoir certaines gens que nous voyons paraître[1].

CLITANDRE

Oui, si l'on s'en rapporte à ces certains savants* ;
Mais on n'en convient pas chez ces certaines gens.

PHILAMINTE, *à Clitandre.*

Il me semble, monsieur...

CLITANDRE

Eh! madame, de grâce,
Monsieur est assez fort sans qu'à son aide on passe :
1315 Je n'ai déjà que trop d'un si rude assaillant ;
Et si je me défends, ce n'est qu'en reculant.

ARMANDE

Mais l'offensante aigreur de chaque repartie
Dont vous...

CLITANDRE

Autre second[2], je quitte la partie.

PHILAMINTE

On souffre aux entretiens[3] ces sortes de combats,
1320 Pourvu qu'à la personne on ne s'attaque pas.

CLITANDRE

Eh! mon Dieu, tout cela n'a rien dont il s'offense ;
Il entend raillerie autant qu'homme de France,

---

1. *Paraître* : se faire remarquer (sens fort) ; 2. Le *second* est celui qui assiste un combattant dans un duel ; Armande venant après Philaminte au secours de Trissotin, Clitandre peut rompre un combat trop inégal ; 3. Dans les entretiens.

─────── **QUESTIONS** ───────

● Vers 1281-1312. Les différents moments de cette dispute : montrez que dans la première phase (1281-1292) Trissotin, un peu décontenancé par l'attaque, reste court ; quelle tactique adopte-t-il à partir du vers 1293 ? Comparez à partir de ce moment cette querelle avec la querelle Trissotin-Vadius (acte III, scène III, vers 953-1044) : s'il y a même utilisation de la stichomythie, y a-t-il la même progression ? — Peut-on dire que Trissotin se défende mal ? Quelle faute attend-il de son adversaire ? Clitandre commet-il cette erreur ? — Montrez que Trissotin se fait battre sur son propre terrain.

    Et de bien d'autres traits il s'est senti piquer
    Sans que jamais sa gloire[1] ait fait que s'en moquer.

TRISSOTIN

1325 Je ne m'étonne pas, au combat que j'essuie,
    De voir prendre à monsieur la thèse qu'il appuie.
    Il est fort enfoncé dans la cour, c'est tout dit :
    La cour, comme l'on sait, ne tient pas pour l'esprit*,
    Elle a quelque intérêt d'appuyer l'ignorance*,
1330 Et c'est en courtisan qu'il en prend la défense.

CLITANDRE

    Vous en voulez beaucoup à cette pauvre cour,
    Et son malheur est grand de voir que chaque jour
    Vous autres, beaux esprits*, vous déclamiez contre elle,
    Que de tous vos chagrins[2] vous lui fassiez querelle,
1335 Et, sur son méchant[3] goût lui faisant son procès,
    N'accusiez que lui seul de vos méchants succès.
    Permettez-moi, monsieur Trissotin, de vous dire,
    Avec tout le respect que votre nom m'inspire,
    Que vous feriez fort bien, vos confrères et vous,
1340 De parler de la cour d'un ton un peu plus doux;
    Qu'à le bien prendre, au fond, elle n'est pas si bête
    Que vous autres, messieurs, vous vous mettez en tête;
    Qu'elle a du sens commun pour se connaître à tout,
    Que chez elle on se peut former quelque bon goût,
1345 Et que l'esprit* du monde y vaut, sans flatterie,
    Tout le savoir* obscur de la pédanterie*.

TRISSOTIN

    De son bon goût, monsieur, nous voyons des effets.

CLITANDRE

    Où voyez-vous, monsieur, qu'elle l'ait si mauvais?

---

    1. *Gloire :* sentiment qu'on a de sa propre réputation (voir l'emploi fréquent de ce mot en ce sens chez Corneille ; mais il est dit ici ironiquement) ; 2. *Chagrin :* accès de mauvaise humeur ; 3. *Méchant :* mauvais (de même au vers suivant).

━━━ QUESTIONS ━━━

● Vers 1313-1324. Pourquoi les femmes savantes interviennent-elles ? Ont-elles bien vu, malgré leur partialité, la portée de la querelle ? Soulignez l'aisance mondaine et l'esprit chevaleresque même de Clitandre aux vers 1313-1316. — Quel effet produit l'essai tenté par Philaminte (vers 1319-1320) pour ramener la dispute aux dimensions d'une joute littéraire dans un salon ? Montrez en quoi c'est un aveu de défaite. — En quoi les vers 1321-1324 sont-ils à double entente ? Où est le compliment apparent ? Que signifient les vers 1323-1324 ?

TRISSOTIN

Ce que je vois, monsieur, c'est que pour la science*
1350 Rasius et Baldus[1] font honneur à la France,
Et que tout leur mérite, exposé fort au jour,
N'attire point les yeux et les dons de la cour[2].

CLITANDRE

Je vois votre chagrin, et que par modestie
Vous ne vous mettez point, monsieur, de la partie;
1355 Et, pour ne vous point mettre aussi dans le propos,
Que font-ils pour l'État, vos habiles héros[3]?
Qu'est-ce que leurs écrits lui rendent de service,
Pour accuser la cour d'une horrible injustice
Et se plaindre en tous lieux que sur leurs doctes* noms
1360 Elle manque à verser la faveur de ses dons?
Leur savoir* à la France est beaucoup nécessaire!
Et des livres qu'ils font la cour a bien affaire!
Il semble à trois gredins[4], dans leur petit cerveau,
Que, pour être imprimés[5] et reliés en veau,
1365 Les voilà dans l'État d'importantes personnes;
Qu'avec leur plume ils font les destins des couronnes;
Qu'au moindre petit bruit de leurs productions
Ils doivent voir chez eux voler les pensions;
Que sur eux l'univers a la vue attachée;
1370 Que partout de leur nom la gloire est épanchée,
Et qu'en science* ils sont des prodiges fameux,
Pour savoir ce qu'ont dit les autres avant eux,
Pour avoir eu trente ans des yeux et des oreilles,
Pour avoir employé neuf ou dix mille veilles
1375 A se bien barbouiller de grec et de latin*,
Et se charger l'esprit* d'un ténébreux butin
De tous les vieux fatras qui traînent dans les livres;
Gens qui de leur savoir* paraissent toujours ivres;
Riches, pour tout mérite, en babil importun,
1380 Inhabiles à tout, vides de sens commun,
Et pleins d'un ridicule et d'une impertinence

---

1. Noms de personnages imaginaires, doctes savants qui, comme Vadius, auraient, selon l'habitude du temps, latinisé leur nom; le premier de ces noms a par lui-même une consonance comique; le second rappelle le titre d'une épopée burlesque italienne de Folengo (1517); 2. Allusion aux pensions que Colbert, sur l'ordre de Louis XIV et d'après les indications de Chapelain, allouait aux savants, aux écrivains et aux artistes; 3. Voir vers 230, l'expression *héros d'esprit*; 4. *Gredin* : pauvre misérable (et non « brigand », comme aujourd'hui); 5. Parce qu'ils sont imprimés (sens causal de *pour* et un infinitif passé).

A décrier[1] partout l'esprit* et la science*.

PHILAMINTE

Votre chaleur est grande, et cet emportement
De la nature en vous marque le mouvement;
1385 C'est le nom de rival qui dans votre âme excite...

Scène IV. — JULIEN, TRISSOTIN, PHILAMINTE, CLITANDRE, ARMANDE.

JULIEN

Le savant* qui tantôt vous a rendu visite,
Et de qui j'ai l'honneur de me voir le valet,
Madame, vous exhorte à lire ce billet.

———

1. *Décrier* : déconsidérer, déshonorer.

———————— **QUESTIONS** ————————

● Vers 1325-1382. Comment Trissotin fait-il rebondir la dispute ?
A-t-on déjà vu, dans la querelle avec Vadius, une preuve de son caractère vindicatif et agressif ? — Pourquoi croit-il avantageux, en présence des femmes savantes, d'attaquer la Cour ? — Que savez-vous de l'opposition entre la Cour et la Ville au temps de Louis XIV ? — L'apologie de la Cour (vers 1331-1346 et 1353-1382) : quels sont les différents points de la défense présentée par Clitandre ? Peut-on, à travers les propos de Clitandre, découvrir un certain nombre de problèmes qui devaient alors soulever discussions et critiques ? — Faut-il voir ici un Molière courtisan soucieux de se ménager l'approbation de Louis XIV et de son entourage ? Montrez qu'en tout cas ce passage n'est pas une digression, si on considère tout ce qui oppose Clitandre à Trissotin (condition sociale, goûts, caractère). — Le problème de la condition du savant dans l'État se pose-t-il aujourd'hui de la même façon ? Peut-on en conclure que les tirades de Clitandre ne comportent aucune actualité et aucune leçon pour nous ?

● Vers 1383-1385. La remarque de Philaminte n'est-elle pas juste en son début ? Vers quel tour plus déplaisant tournerait-elle ses remarques sans l'interruption survenue après le vers 1385 ?

■ Sur l'ensemble de la scène III. — Distinguez les différents moments de la discussion. Pourquoi le débat n'aboutit-il pas à une rupture ? Quel intérêt pousse chacun des deux adversaires à ne pas abandonner la place ? Le rôle de Philaminte et d'Armande au cours de la querelle.
— Classez les arguments invoqués par les deux partis en présence : attaques personnelles et idées générales.
— En comparant avec la dispute entre Trissotin et Vadius (acte III, scène III, vers 953-1044), montrez que Trissotin se défend ici plus qu'il n'attaque. Étudiez son comportement devant les attaques de Clitandre.
— Comment s'explique le comportement de Clitandre devant la science ? Montrez qu'il est conforme à l'idéal de l'« honnête homme » cher à Molière et à la Cour. Les arguments de Clitandre sur la Cour et sur l'utilité de l'art sont-ils justifiés ou excessifs ?

PHILAMINTE

Quelque important que soit ce qu'on veut que je lise,
1390 Apprenez, mon ami, que c'est une sottise
De se venir jeter au travers d'un discours,
Et qu'aux gens[1] d'un logis il faut avoir recours,
Afin de s'introduire en valet qui sait vivre.

JULIEN

Je noterai cela, madame, dans mon livre.

PHILAMINTE *lit*.

« Trissotin s'est vanté, madame, qu'il épouserait votre
fille. Je vous donne avis que sa philosophie n'en veut qu'à
vos richesses, et que vous ferez bien de ne point conclure
ce mariage que vous n'ayez vu le poème que je compose
contre lui. En attendant cette peinture, où je prétends vous
le dépeindre de toutes ses couleurs, je vous envoie Horace,
Virgile, Térence et Catulle[2], où vous verrez notés en marge
tous les endroits qu'il a pillés. »

PHILAMINTE *poursuit*.

1395 Voilà, sur cet hymen que je me suis promis,
Un mérite attaqué de beaucoup d'ennemis;
Et ce déchaînement aujourd'hui me convie
A faire une action qui confonde l'envie,
Qui lui fasse sentir que l'effort qu'elle fait
1400 De ce qu'elle veut rompre aura pressé l'effet.
        (A Julien.)
Reportez tout cela sur l'heure à votre maître,
Et lui dites[3] qu'afin de lui faire connaître

---

1. Voir vers 574 et la note ; 2. Sur Horace et Virgile, voir vers 973 et 975
et les notes. Térence est un poète comique latin (v. 190-159 av. J.-C.);
Catulle est poète lyrique latin (v. 87-v. 54 av. J.-C.) ; 3. Voir vers 41 et la note.

——— QUESTIONS ———

● Vers 1386-1394. La réprimande de Philaminte est-elle nécessaire
pour la vraisemblance ? Quel trait de caractère retrouve-t-on aussi à
cette occasion (v. vers 738-739) ? — Le billet de Vadius : à quels traits
en reconnaît-on l'auteur ? Sommes-nous très surpris de ses révélations ?
Peut-on croire Vadius, quand il accuse Trissotin d'en vouloir à l'argent
de Philaminte ? Imaginez les pensées de Trissotin pendant cette lecture.
— Que pouvaient penser les gens de Cour des procédés par lesquels
Vadius continue son « duel » contre Trissotin ?

Quel grand état je fais de ses nobles avis,
Et comme je les crois dignes d'être suivis,
> (*Montrant Trissotin.*)

1405 Dès ce soir à monsieur je marierai ma fille.
> (*A Clitandre.*)

Vous, monsieur, comme ami de toute la famille,
A signer leur contrat vous pourrez assister,
Et je vous y veux bien de ma part inviter.
Armande, prenez soin d'envoyer au notaire[1]
1410 Et d'aller avertir votre sœur de l'affaire.

ARMANDE

Pour avertir ma sœur, il n'en est pas besoin,
Et monsieur que voilà saura prendre le soin
De courir lui porter bientôt cette nouvelle
Et disposer son cœur à vous être rebelle.

PHILAMINTE

1415 Nous verrons qui sur elle aura plus de pouvoir,
Et si je la saurai réduire à son devoir.
> (*Elle s'en va.*)

ARMANDE

J'ai grand regret, monsieur, de voir qu'à vos visées[2]
Les choses ne soient pas tout à fait disposées.

CLITANDRE

Je m'en vais travailler, madame, avec ardeur,
1420 A ne vous point laisser ce grand regret au cœur.

ARMANDE

J'ai peur que votre effort n'ait pas trop bonne issue.

CLITANDRE

Peut-être verrez-vous votre crainte déçue.

---

1. Envoyer quelqu'un chez le notaire (verbe employé absolument) ; 2. *Visées :* projets (v. aussi le vers 88 et la note).

―――――― **QUESTIONS** ――――――

● Vers 1395-1414. La réaction de Philaminte nous étonne-t-elle ? Pourquoi l'accumulation des griefs contre Trissotin ne suscite-t-elle aucune méfiance en elle ? Philaminte est-elle le seul personnage de Molière victime de son entêtement ? Comparez sa réaction ici à celle d'Orgon, dans *le Tartuffe* (acte III, scène VI). Montrez qu'elle perd toute mesure dans son triomphe aux vers 1405-1410.

ARMANDE

Je le souhaite ainsi.

CLITANDRE

J'en suis persuadé,
Et que de votre appui je serai secondé.

ARMANDE

1425 Oui, je vais vous servir de toute ma puissance.

CLITANDRE

Et ce service est sûr de ma reconnaissance.

Scène V. — CHRYSALE, ARISTE, HENRIETTE, CLITANDRE.

CLITANDRE

Sans votre appui, monsieur, je serai malheureux :
Madame votre femme a rejeté mes vœux,
Et son cœur prévenu veut Trissotin pour gendre.

CHRYSALE

1430 Mais quelle fantaisie a-t-elle donc pu prendre?
Pourquoi diantre vouloir ce monsieur Trissotin?

ARISTE

C'est par l'honneur qu'il a de rimer à[1] latin
Qu'il a sur son rival emporté l'avantage.

CLITANDRE

Elle veut dès ce soir faire ce mariage.

CHRYSALE

1435 Dès ce soir?

_____

1. *À :* en.

━━━━━━━━ **QUESTIONS** ━━━━━━━━━━━━━━━

● Vers 1415-1426. Quel est le ton des propos échangés entre Armande et Clitandre? Comment sert l'ironie aux deux personnages à se lancer un défi?

■ Sur l'ensemble de la scène IV. — L'importance de cette scène : en quoi découle-t-elle logiquement de la dispute de l'acte III? — Comment les personnages achèvent-ils de s'y peindre? Quel nouvel aspect de Philaminte apparaît? L'attitude d'Armande est-elle surprenante? Faites le portrait de Clitandre.

CLITANDRE

Dès ce soir.

CHRYSALE

Et dès ce soir je veux,
Pour la contrecarrer, vous marier tous deux.

CLITANDRE

Pour dresser le contrat, elle envoie au notaire.

CHRYSALE

Et je vais le quérir pour celui qu'il doit faire.

CLITANDRE, *montrant Henriette.*

Et madame doit être instruite par sa sœur
1440 De l'hymen où l'on veut qu'elle apprête son cœur.

CHRYSALE

Et moi je lui commande, avec pleine puissance,
De préparer sa main à cette autre alliance.
Ah! je leur ferai voir si, pour donner la loi,
Il est dans ma maison d'autre maître que moi.
  (A Henriette.)
1445 Nous allons revenir, songez à nous attendre.
Allons, suivez mes pas, mon frère, et vous, mon gendre.

HENRIETTE, *à Ariste.*

Hélas! dans cette humeur conservez-le toujours.

ARISTE

J'emploierai toute chose à servir vos amours.

CLITANDRE

Quelque secours puissant qu'on promette à ma flamme,
1450 Mon plus solide espoir, c'est votre cœur, madame.

HENRIETTE

Pour mon cœur, vous pouvez vous assurer[1] de lui.

---

1. *Vous assurer :* être sûr.

──────── QUESTIONS ────────

● VERS 1427-1448. Montrez que Chrysale ne peut absolument pas comprendre la psychologie de sa femme. Comment apparaît-il ici? Pouvons-nous compter sur son énergie? La majesté voulue des vers 1441-1442. — Pourquoi Henriette se tourne-t-elle vers Ariste (vers 1447)? Comparez la sécheresse de celui-ci (vers 1448) à la prolixité de son frère (vers 1441-1446).

CLITANDRE

Je ne puis qu'être heureux quand j'aurai son appui.

HENRIETTE

Vous voyez à quels nœuds on prétend le contraindre.

CLITANDRE

Tant qu'il sera pour moi, je ne vois rien à craindre.

HENRIETTE

1455 Je vais tout essayer pour nos vœux les plus doux ;
Et, si tous mes efforts ne me donnent à vous,
Il est une retraite où notre âme se donne[1],
Qui m'empêchera d'être à toute autre personne.

CLITANDRE

Veuille le juste ciel me garder en ce jour
1460 De recevoir de vous cette preuve d'amour.

ACTE V

Scène première. — HENRIETTE, TRISSOTIN.

HENRIETTE

C'est sur le mariage où ma mère s'apprête
Que j'ai voulu, monsieur, vous parler tête à tête,

_____
1. Le couvent, recours habituel des jeunes filles qui redoutent d'être mal mariées.

——— QUESTIONS ———

● Vers 1449-1460. Quels sentiments s'épanchent dans cette fin de scène ? Rattachez ce duo à la situation générale. Qu'y a-t-il de traditionnel dans les vers 1456-1458 ?

■ Sur l'ensemble de la scène v. — L'attitude de Clitandre est-elle la même qu'à la fin de la scène précédente ?

— Comment s'explique la crise d'énergie de Chrysale ? Comparez son attitude à celle de la dernière scène de l'acte III.

— Pourquoi Clitandre et Henriette se rapprochent-ils avec tant de tendresse à la fin de la scène ? Ont-ils confiance dans l'appui de Chrysale ?

■ Sur l'ensemble de l'acte IV. — Son importance dramatique. Par quel enchaînement de scènes la situation s'est-elle progressivement envenimée au cours de l'acte ? Montrez que le hasard a joué son rôle (vers 1159-1265), mais surtout la logique des caractères.

— Comment chaque personnage achève-t-il de préciser ses limites et son caractère ? Celui d'Henriette ne se complète-t-il pas par une note d'émotion assez bienvenue ? Comparez la fin de la scène v à la scène III de l'acte premier.

  Et j'ai cru, dans le trouble[1] où je vois la maison,
  Que je pourrais vous faire écouter la raison*.
1465 Je sais qu'avec mes vœux vous me jugez capable
  De vous porter en dot un bien considérable ;
  Mais l'argent, dont on voit tant de gens faire cas,
  Pour un vrai philosophe a d'indignes appas,
  Et le mépris du bien et des grandeurs frivoles
1470 Ne doit point éclater dans vos seules paroles.

TRISSOTIN

  Aussi n'est-ce point là ce qui me charme en vous ;
  Et vos brillants attraits, vos yeux perçants et doux,
  Votre grâce et votre air sont les biens, les richesses,
  Qui vous ont attiré mes vœux et mes tendresses ;
1475 C'est de ces seuls trésors que je suis amoureux.

HENRIETTE

  Je suis fort redevable à vos feux généreux.
  Cet obligeant amour a de quoi me confondre,
  Et j'ai regret, monsieur, de n'y pouvoir répondre.
  Je vous estime autant qu'on saurait estimer,
1480 Mais je trouve un obstacle à vous pouvoir aimer.
  Un cœur, vous le savez, à deux ne saurait être,
  Et je sens que du mien Clitandre s'est fait maître.
  Je sais qu'il a bien moins de mérite que vous,
  Que j'ai de méchants[2] yeux pour le choix d'un époux,
1485 Que par cent beaux talents vous devriez me plaire ;
  Je vois bien que j'ai tort, mais je n'y puis que faire,
  Et tout ce que sur moi peut le raisonnement,
  C'est de me vouloir mal[3] d'un tel aveuglement.

TRISSOTIN

  Le don de votre main, où l'on me fait prétendre,
1490 Me livrera ce cœur que possède Clitandre,

---

  1. *Trouble* : confusion, désordre ; 2. Voir vers 529 et la note ; 3. *Me vouloir mal* : m'en vouloir.

━━━━━ ● QUESTIONS ━━━━━

● Vers 1461-1475. Comment s'éclaire maintenant le vers 1455 ? Quels traits marquent, dans les vers 1461-1470, l'esprit de décision d'Henriette, sa clarté d'esprit, son énergie résolue ? Les jeunes filles du théâtre de Molière prennent-elles souvent ainsi le soin de leur propre destinée ? N'a-t-elle pas une façon un peu brutale de lever le masque de Trissotin ? — La réponse de ce dernier n'était-elle pas prévisible ?

Et par mille doux soins j'ai lieu de présumer
Que je pourrai trouver l'art de me faire aimer.

HENRIETTE

Non; à ses premiers vœux mon âme est attachée,
Et ne peut de vos soins, monsieur, être touchée.
1495 Avec vous librement j'ose ici m'expliquer,
Et mon aveu n'a rien qui vous doive choquer.
Cette amoureuse ardeur qui dans les cœurs s'excite
N'est point, comme l'on sait, un effet du mérite;
Le caprice y prend part, et quand quelqu'un nous plaît,
1500 Souvent nous avons peine à dire pourquoi c'est.
Si l'on aimait, monsieur, par choix et par sagesse,
Vous auriez tout mon cœur et toute ma tendresse;
Mais on voit que l'amour se gouverne autrement.
Laissez-moi, je vous prie, à mon aveuglement,
1505 Et ne vous servez point de cette violence
Que pour vous on veut faire à mon obéissance.
Quand on est honnête homme[1], on ne veut rien devoir
A ce que des parents ont sur nous de pouvoir.
On répugne à se faire immoler ce qu'on aime,
1510 Et l'on veut n'obtenir un cœur que de lui-même.
Ne poussez point ma mère à vouloir, par son choix,
Exercer sur mes vœux la rigueur de ses droits.
Ôtez-moi votre amour, et portez à quelque autre
Les hommages d'un cœur aussi cher[2] que le vôtre.

---

1. Au sens moderne du mot; 2. *Cher* : d'aussi grand prix.

──────── QUESTIONS ────────

● Vers 1476-1492. Quelle conception de l'amour Henriette pré-
sente-t-elle ici? Comment ménage-t-elle la susceptibilité de Trissotin?
Après la fin de sa réplique (vers 1486-1488), la discussion est-elle
encore possible? — Marquez les deux étapes de la réponse de
Trissotin. Les deux premiers vers (vers 1489-1490) n'en sont-ils pas
inquiétants? Rapprochez les deux derniers (vers 1491-1492) de l'idéal
précieux : n'y trouve-t-on pas une conception de l'amour qui figure
sur la *Carte du Tendre?* Quelle impression crée cette qualité de langage?
● Vers 1493-1514. Dans la réplique d'Henriette, faites la part des
arguments avancés sous la pression des circonstances et celle de la
sincérité. Quels principes défend-elle ici? Ne s'élève-t-elle pas contre
les idées des précieux? Importance du vers 1515. Quelle solution
suggère-t-elle pour finir?

TRISSOTIN

1515 Le moyen que ce cœur puisse vous contenter ?
Imposez-lui des lois qu'il puisse exécuter.
De ne vous point aimer peut-il être capable ?
A moins que vous cessiez, madame, d'être aimable,
Et d'étaler aux yeux les célestes appas... ?

HENRIETTE

1520 Eh ! monsieur, laissons là ce galimatias.
Vous avez tant d'Iris, de Philis, d'Amarantes[1],
Que partout dans vos vers vous peignez si charmantes,
Et pour qui vous jurez tant d'amoureuse ardeur...

TRISSOTIN

C'est mon esprit* qui parle, et ce n'est pas mon cœur.
1525 D'elles on ne me voit amoureux qu'en poète ;
Mais j'aime tout de bon l'adorable Henriette.

HENRIETTE

Eh ! de grâce, monsieur...

TRISSOTIN

　　　　　　　　Si c'est vous offenser,
Mon offense envers vous n'est pas prête à cesser.
Cette ardeur, jusqu'ici de vos yeux ignorée,
1530 Vous consacre des vœux d'éternelle durée ;
Rien n'en peut arrêter les aimables transports ;
Et, bien que vos beautés condamnent mes efforts,
Je ne puis refuser le secours d'une mère
Qui prétend couronner une flamme si chère,
1535 Et, pourvu que j'obtienne un bonheur si charmant[2],
Pourvu que je vous aie, il n'importe comment.

---

1. Noms conventionnels sous lesquels les poètes évoquent, dans leurs œuvres galantes, les femmes qu'ils aiment ; 2. *Charmant* : dont l'attrait a une force magique.

──────── **QUESTIONS** ────────

● Vers 1515-1519. Pourquoi Trissotin fait-il des compliments avec une telle précipitation à Henriette ? Se rend-il compte que la situation lui échappe de plus en plus ?
● Vers 1520-1526. Soulignez la brutalité d'Henriette. Rapprochez le nom d'« Amarante », utilisé au vers 1521, des vers 824 et suivants. Montrez l'ironie de l'allusion. Comment ces vers sont-ils ici doublement cruels ? — L'explication donnée par Trissotin (vers 1523-1526) est-elle hypocrite ou sincère ? Comment ce trait achève-t-il de le peindre tout en expliquant la froideur de son inspiration ?

HENRIETTE

Mais savez-vous qu'on risque un peu plus qu'on ne pense
A vouloir sur un cœur user de violence;
Qu'il ne fait pas bien sûr[1], à vous le trancher net[2],
1540 D'épouser une fille en dépit qu'elle en ait[3],
Et qu'elle peut aller, en se voyant contraindre,
A des ressentiments que le mari doit craindre?

TRISSOTIN

Un tel discours n'a rien dont je sois altéré[4] :
A tous événements le sage est préparé.
1545 Guéri par la raison* des faiblesses* vulgaires*,
Il se met au-dessus de ces sortes d'affaires,
Et n'a garde de prendre aucune ombre d'ennui
De tout ce qui n'est pas pour dépendre[5] de lui.

HENRIETTE

En vérité, monsieur, je suis de vous ravie;
1550 Et je ne pensais pas que la philosophie
Fût, si belle qu'elle est, d'instruire ainsi les gens
A porter constamment[6] de pareils accidents.
Cette fermeté d'âme à vous si singulière[7]
Mérite qu'on lui donne une illustre matière[8],
1555 Est digne de trouver qui prenne[9] avec amour
Les soins continuels de la mettre en son jour[10];
Et comme, à dire vrai, je n'oserais me croire
Bien propre à lui donner tout l'éclat de sa gloire[11],
Je le laisse à quelque autre et vous jure entre nous
1560 Que je renonce au bien[12] de vous voir mon époux.

---

1. Il n'est pas très sûr (rapprochez de : « Il ne fait pas bon »); 2. Pour vous le déclarer nettement; 3. Malgré ses sentiments; 4. *Altéré* : inquiété; 5. De tout ce qui n'est pas fait pour dépendre de lui; 6. A supporter avec constance. 7. Qui vous est si particulière; 8. *Matière* : occasion de s'exercer; 9. Quelqu'un qui prenne; 10. La mettre en lumière; 11. *Gloire* : réputation; 12. *Bien* : bonheur.

———— QUESTIONS ————

● Vers 1527-1548. Comment le ton de Trissotin évolue-t-il dans les vers 1527-1536? Les serments du début n'ont-ils pas déjà une fermeté et une assurance inquiétantes? Les réticences hypocrites des vers 1533-1534 n'augmentent-ils pas l'impression de malaise? Appréciez le cynisme monstrueux du vers 1536. — La réponse d'Henriette est-elle une menace de pure forme? Le comique des vers 1543-1548 : inattendu et invraisemblance. La contradiction entre cette résignation avec les sentiments professés il y a quelques instants encore.

TRISSOTIN

Nous allons voir bientôt comment ira l'affaire,
Et l'on a là-dedans fait venir le notaire.

Scène II. — CHRYSALE, CLITANDRE, MARTINE, HENRIETTE.

CHRYSALE

Ah! ma fille, je suis bien aise de vous voir.
Allons, venez-vous-en faire votre devoir
1565 Et soumettre vos vœux aux volontés d'un père.
Je veux, je veux apprendre à vivre à votre mère;
Et, pour la mieux braver, voilà, malgré ses dents[1],
Martine que j'amène et rétablis céans[2].

HENRIETTE

Vos résolutions sont dignes de louange.
1570 Gardez que[3] cette humeur, mon père, ne vous change[4].
Soyez ferme à vouloir ce que vous souhaitez,
Et ne vous laissez point séduire à vos bontés[5].
Ne vous relâchez pas, et faites bien en sorte
D'empêcher que sur vous ma mère ne l'emporte.

CHRYSALE

1575 Comment! Me prenez-vous ici pour un benêt?

---

1. *Malgré ses dents* : contre sa volonté (expression familière qui, à force d'être employée, n'évoque plus forcément l'image d'un animal menaçant qui montre les dents) ; 2. *Céans* : voir vers 385 et la note ; 3. Prenez garde que ; 4. Ne change pour vous ; 5. Ne vous laissez point égarer par vos bontés.

--------- **QUESTIONS** ---------

● Vers 1549-1562. Le ton des vers 1549-1560 est-il seulement ironique? Comment, une fois encore, retourne-t-elle contre lui les arguments de Trissotin? Quel est le dernier recours de celui-ci? Pourquoi ne discute-t-il plus?

■ Sur l'ensemble de la scène première. — Pourquoi Henriette intervient-elle? Montrez la progression de la scène : à partir de quand la discussion s'envenime-t-elle?
   — Quels sont les renseignements donnés par cette scène sur le vrai visage de Trissotin? En quoi est-il odieux et cynique (vers 1490, 1492, 1536)? Comparez sur ce plan, Trissotin et Tartuffe.
   — Cette scène ne révèle-t-elle pas aussi de nouveaux traits du caractère d'Henriette (vers 1537 à 1542)? De quoi menace-t-elle Trissotin? Soulignez les ressemblances de caractère, de ton et de valeur intellectuelle entre la jeune fille et Clitandre.

LES FEMMES SAVANTES AU THÉÂTRE DE L'ATHÉNÉE (1961)
Chrysale, interprété par Gaston Vacchia.

HENRIETTE

M'en préserve le ciel!

CHRYSALE

Suis-je un fat[1], s'il vous plaît?

HENRIETTE

Je ne dis pas cela.

CHRYSALE

Me croit-on incapable
Des fermes sentiments d'un homme raisonnable?

HENRIETTE

Non, mon père.

CHRYSALE

Est-ce donc qu'à l'âge où je me vois
1580 Je n'aurais pas l'esprit* d'être maître chez moi?

HENRIETTE

Si fait.

CHRYSALE

Et que j'aurais cette faiblesse* d'âme*
De me laisser mener par le nez à ma femme[2]?

HENRIETTE

Eh! non, mon père.

CHRYSALE

Ouais! Qu'est-ce donc que ceci?
Je vous trouve plaisante[3] à me parler ainsi.

HENRIETTE

1585 Si je vous ai choqué, ce n'est pas mon envie.

CHRYSALE

Ma volonté céans doit être en tout suivie.

---

1. *Fat* : voir vers 1304 et la note ; 2. Par ma femme ; 3. *Plaisant* : amusant, au point d'en être un peu ridicule.

─────── ● QUESTIONS ───────

● VERS 1563-1574. L'énergie résolue de Chrysale en ce début de scène : se contente-t-il de paroles (vers 1568)? A qui doit-on un tel changement? Ce changement peut-il cependant être très profond? — Comment s'explique le scepticisme d'Henriette? Le ton qu'elle emploie à l'égard de son père n'est-il pas surprenant? Montrez que l'on comprend la raison de son inquiétude et l'importance de la fermeté chez son père pour son mariage ; mais ne commet-elle pas une faute psychologique?

HENRIETTE

Fort bien, mon père.

CHRYSALE

       Aucun, hors moi, dans la maison
N'a droit de commander.

HENRIETTE

         Oui, vous avez raison.

CHRYSALE

C'est moi qui tiens le rang de chef de la famille.

HENRIETTE

1590 D'accord.

CHRYSALE

      C'est moi qui dois disposer de ma fille.

HENRIETTE

Eh! oui.

CHRYSALE

    Le ciel me donne un plein pouvoir sur vous.

HENRIETTE

Qui vous dit le contraire?

CHRYSALE

        Et, pour prendre un époux,
Je vous ferai bien voir que c'est à votre père
Qu'il vous faut obéir, non pas à votre mère.

HENRIETTE

1595 Hélas[1]! vous flattez là le plus doux de mes vœux;
Veuillez être obéi, c'est tout ce que je veux.

CHRYSALE

Nous verrons si ma femme, à mes désirs rebelle...

---

1. *Hélas!* : interjection de politesse qui exprime la crainte de voir Chrysale agir moins énergiquement qu'il ne le dit.

──────── ● QUESTIONS ────────

● Vers 1575-1596. A quoi tient le comique de ce passage? Quel plaisir trouve Chrysale à affirmer l'autorité qu'il croit avoir retrouvée? Sur quel ton parle-t-il à sa fille? Démontrez que, de réplique en réplique, il se donne de plus en plus d'assurance et s'exalte lui-même par des formules de plus en plus grandiloquentes. — L'attitude d'Henriette : sa complaisance et son approbation correspondent-elles à une conviction profonde? En quoi les vers 1595-1596 sont-ils révélateurs de son état d'esprit?

CLITANDRE

La voici qui conduit le notaire avec elle.

CHRYSALE

Secondez-moi bien tous.

MARTINE

Laissez-moi, j'aurai soin
1600 De vous encourager, s'il en est de besoin.

SCÈNE III. — PHILAMINTE, BÉLISE, ARMANDE, TRISSOTIN, LE NOTAIRE, CHRYSALE, CLITANDRE, HENRIETTE, MARTINE.

PHILAMINTE, *au notaire*.

Vous ne sauriez changer votre style sauvage
Et nous faire un contrat qui soit en beau langage?

LE NOTAIRE

Notre style est très bon, et je serais un sot*,
Madame, de vouloir y changer un seul mot.

BÉLISE

1605 Ah! quelle barbarie au milieu de la France!
Mais au moins, en faveur, monsieur, de la science*,
Veuillez, au lieu d'écus, de livres et de francs,
Nous exprimer la dot en mines et talents[1]
Et dater par les mots d'ides et de calendes[2].

LE NOTAIRE

1610 Moi? Si j'allais, madame, accorder vos demandes,

---

1. *Mines, talents* : mesures monétaires de la Grèce antique ; 2. *Ides* : date du calendrier romain (le 13 ou le 15 du mois). — *Calendes* : le premier jour du mois.

──────── ● QUESTIONS ────────

● VERS 1597-1600. Le comique de la fin de la scène : contraste ; interruption ; comique de mots, de caractère (vers 1599). L'importance de Martine. Montrez que notre confiance dans un heureux dénouement repose en grande partie sur elle.

■ SUR L'ENSEMBLE DE LA SCÈNE II. — Qui Chrysale veut-il convaincre de son autorité ?

— Le mouvement et le comique de la scène : n'y a-t-il pas contradiction entre les vers 1566 et 1599 ?

— Henriette et Martine ont-elles confiance en Chrysale ?

— Le contraste entre cette scène et la scène précédente : cherchez dans les actes III et IV d'autres moments où l'entrée de Chrysale produit le même effet. Est-on sûr cependant qu'il va gagner la partie ?

Je me ferais siffler de tous mes compagnons[1].

PHILAMINTE

De cette barbarie en vain nous nous plaignons.
Allons, monsieur; prenez la table pour écrire.
>   (*Apercevant Martine.*)
Ah! ah! cette impudente ose encor se produire[2]?
1615 Pourquoi donc, s'il vous plaît, la ramener chez moi?

CHRYSALE

Tantôt avec loisir on vous dira pourquoi.
Nous avons maintenant autre chose à conclure.

LE NOTAIRE

Procédons au contrat. Ou donc est la future?

PHILAMINTE

Celle que je marie est la cadette.

LE NOTAIRE

>   Bon.

CHRYSALE

1620 Oui. La voilà, monsieur; Henriette est son nom.

LE NOTAIRE

Fort bien. Et le futur?

PHILAMINTE, *montrant Trissotin.*

>   L'époux que je lui donne
Est monsieur.

CHRYSALE, *montrant Clitandre.*

>   Et celui, moi, qu'en propre personne
Je prétends qu'elle épouse est monsieur.

LE NOTAIRE

>   Deux époux?

---

1. *Compagnons* : confrères; 2. *Se produire* : se montrer.

─────── **QUESTIONS** ───────

● Vers 1601-1617. Le personnage traditionnellement comique du notaire (voir, par exemple, *l'Ecole des femmes*, acte IV, scène II) : comment Molière en fait-il ici une source indirecte de comique grâce à Bélise? Montrez que les demandes de celle-ci au notaire sont ridicules en elles-mêmes, d'une part qu'elles expriment une idée fixe, d'autre part (v. vers 942 et suivants), et enfin qu'elles sont déplacées par rapport aux circonstances. L'attitude de Philaminte : son accord avec Bélise sur le principe, sans la soutenir réellement. — Comment s'engage le dialogue entre Chrysale et sa femme? Montrez que, sur le spectateur, l'effet en est bienfaisant.

C'est trop pour la coutume[1].

PHILAMINTE

Où[2] vous arrêtez-vous ?
1625 Mettez, mettez, monsieur, Trissotin pour mon gendre.

CHRYSALE

Pour mon gendre mettez, mettez, monsieur, Clitandre.

LE NOTAIRE

Mettez-vous donc d'accord, et, d'un jugement mûr,
Voyez à convenir entre vous du futur.

PHILAMINTE

Suivez, suivez, monsieur, le choix où je m'arrête.

CHRYSALE

1630 Faites, faites, monsieur, les choses à ma tête.

LE NOTAIRE

Dites-moi donc à qui j'obéirai des deux.

PHILAMINTE, *à Chrysale*.

Quoi donc ! vous combattez les choses que je veux ?

CHRYSALE

Je ne saurais souffrir qu'on ne cherche[3] ma fille
Que pour l'amour du bien qu'on voit dans ma famille.

PHILAMINTE

1635 Vraiment, à votre bien on songe bien ici,
Et c'est là, pour un sage, un fort digne souci !

CHRYSALE

Enfin pour son époux j'ai fait choix de Clitandre.

PHILAMINTE, *montrant Trissotin*.

Et moi, pour son époux voici qui je veux prendre :
Mon choix sera suivi, c'est un point résolu.

CHRYSALE

1640 Ouais ! Vous le prenez là d'un ton bien absolu !

---

1. *Coutume* : tradition qui a force de loi dans les pays de droit coutu-
mier ; 2. A quoi ; 3. Qu'on ne recherche.

——— QUESTIONS ———

● VERS 1618-1640. Le comique de situation créé par le heurt entre
Chrysale et Philaminte. Sommes-nous déçus dans les espoirs que nous
avions placés dans Chrysale ? En quoi cependant sa fermeté faiblit-elle ?

MARTINE

Ce n'est point à la femme à prescrire[1], et je sommes
Pour céder le dessus en toute chose aux hommes.

CHRYSALE

C'est bien dit.

MARTINE

Mon congé cent fois me fût-il hoc[2],
La poule ne doit point chanter devant[3] le coq.

CHRYSALE

1645 Sans doute.

MARTINE

Et nous voyons que d'un homme on se gausse
Quand sa femme chez lui porte le haut-de-chausse[4].

CHRYSALE

Il est vrai.

MARTINE

Si j'avais un mari, je le dis,
Je voudrais qu'il se fît le maître du logis.
Je ne l'aimerais point s'il faisait le Jocrisse[5];
1650 Et, si je contestais contre lui par caprice,
Si je parlais trop haut, je trouverais fort bon
Qu'avec quelques soufflets il rabaissât mon ton.

CHRYSALE

C'est parler comme il faut.

MARTINE

Monsieur est raisonnable
De vouloir pour sa fille un mari convenable.

CHRYSALE

1655 Oui.

MARTINE

Par quelle raison, jeune et bien fait qu'il est,
Lui refuser Clitandre? Et pourquoi, s'il vous plaît,

---

1. *Prescrire* : donner des ordres ; 2. Certain, assuré (expression tirée d'un jeu de cartes, le *hoc*, introduit en France par Mazarin. Dans ce jeu, six cartes sont *hoc*, c'est-à-dire assurées au joueur ; on disait également *hoc* en jouant une carte maîtresse) ; 3. *Devant* : avant. Rapprochez ce vers du vieux proverbe du *Roman de la Rose* : « C'est chose qui moult me déplaist | Quand poule parle et coq se taist » ; 4. Voir vers 580 et la note ; 5. *Jocrisse* : personnage traditionnel des farces populaires, valet ridicule et stupide, toujours rossé par les autres.

Lui bailler[1] un savant qui sans cesse épilogue[2]?
Il lui faut un mari, non pas un pédagogue;
Et, ne voulant savoir le grais[3] ni le latin,
1660 Elle n'a pas besoin de monsieur Trissotin.

CHRYSALE

Fort bien.

PHILAMINTE

Il faut souffrir qu'elle jase à son aise.

MARTINE

Les savants* ne sont bons que pour prêcher en chaise[4];
Et pour mon mari, moi, mille fois je l'ai dit,
Je ne voudrais jamais prendre un homme d'esprit[5]*.
1665 L'esprit* n'est point du tout ce qu'il faut en ménage;
Les livres cadrent[6] mal avec le mariage;
Et je veux, si jamais on engage ma foi,
Un mari qui n'ait point d'autre livre que moi,
Qui ne sache A ne[7] B, n'en déplaise à madame,
1670 Et ne soit, en un mot, docteur* que pour sa femme.

PHILAMINTE, *à Chrysale.*

Est-ce fait? et sans trouble ai-je assez écouté
Votre digne interprète?

CHRYSALE

Elle a dit vérité.

PHILAMINTE

Et moi pour trancher court toute cette dispute,

---

1. Voir vers 425 et la note; 2. *Epiloguer :* critiquer sur un ton solennel;
3. *Grais :* ancienne prononciation de grec; 4. *Chaise :* chaire. Les deux mots, qui ont la même étymologie, n'étaient pas encore distincts l'un de l'autre : ce n'est donc pas ici une bévue de Martine, qui prononce le mot à la façon parisienne; 5. *Homme d'esprit :* celui qui a des activités intellectuelles; 6. Voir la remarque que fait Bussy-Rabutin sur l'emploi de ce mot (voir Notice, page 11); 7. *Ne :* forme archaïque de *ni.*

--- **QUESTIONS** ---

● VERS 1641-1670. L'intervention de Martine était-elle nécessaire? prévue (v. vers 1599-1600)? Quel élément comique apporte-t-elle? Quelle inquiétude du spectateur est-elle chargée de dissiper, ou du moins de faire passer à l'arrière-plan? Y parvient-elle? La valeur pittoresque du défilé de proverbes par lequel elle commence : pourquoi sont-ils adaptés à la situation? — Le comique de la structure de ce passage où Martine, la servante, mène le jeu devant Chrysale, son maître, qui l'approuve, et Philaminte, dont vous interpréterez le silence. — Martine, comme interprète des pensées de Molière : comparez-la à Nicole du *Bourgeois gentilhomme.*

Il faut qu'absolument mon désir s'exécute.
1675 Henriette et monsieur seront joints de ce pas;
Je l'ai dit, je le veux : ne me répliquez pas;
Et si votre parole à Clitandre est donnée,
Offrez-lui le parti d'épouser son aînée.

CHRYSALE

Voilà dans cette affaire un accommodement.
1680 Voyez : y donnez-vous votre consentement?

HENRIETTE

Eh! mon père!

CLITANDRE

Eh! monsieur!

BÉLISE

On pourrait bien lui faire
Des propositions qui pourraient mieux lui plaire;
Mais nous établissons une espèce d'amour
Qui doit être épuré* comme l'astre du jour;
1685 La substance qui pense y peut être reçue,
Mais nous en bannissons la substance étendue[1].

---

1. Encore des termes de la philosophie de Descartes : la *substance étendue* est la matière, le corps, par opposition à la *substance qui pense,* l'esprit.

——— QUESTIONS ———

● Vers 1671-1686. Quel est l'effet produit par l'effondrement de Chrysale? Etait-ce pourtant imprévisible? Comment s'arrange-t-il pour ne prendre ici aucune initiative, dans aucun sens? N'est-ce pas l'attitude qui s'harmonise le plus parfaitement avec la veulerie de son caractère? — Quelle devient l'atmosphère de la pièce à ce moment? L'intervention de Bélise : quelle relation y a-t-il entre ses nouvelles « visions » et la situation présente? Quelle détente nécessaire apporte-t-elle?

■ Sur l'ensemble de la scène III. — En étudiant le comportement de Chrysale dans cette scène, montrez que le personnage demeure malgré tout lui-même : aussi bien quand il veut imposer sa volonté que quand il y renonce (vers 1679). — Pourquoi le reniement du vers 1679? n'est-ce pas parce qu'on lui propose une solution qu'il n'avait pas envisagée? ne croit-il pas ainsi tout arranger?

— Etudiez les différents procédés comiques de la scène : parallélisme, entêtement, interventions inattendues, hésitations du notaire, comique de style. Ces procédés sont-ils de même valeur? A quoi sont-ils destinés?

Scène IV. — ARISTE, CHRYSALE, PHILAMINTE, BÉLISE, HENRIETTE, ARMANDE, TRISSOTIN, LE NOTAIRE, CLITANDRE, MARTINE.

ARISTE

J'ai regret de troubler un mystère[1] joyeux
Par le chagrin qu'il faut que j'apporte en ces lieux.
Ces deux lettres me font porteur de deux nouvelles
1690 Dont j'ai senti pour vous les atteintes cruelles :
       (*A Philaminte.*)
L'une pour vous me vient de votre procureur[2];
       (*A Chrysale.*)
L'autre pour vous me vient de Lyon.

PHILAMINTE

                                 Quel malheur
Digne de nous troubler pourrait-on nous écrire?

ARISTE

Cette lettre en contient un que vous pouvez lire.

PHILAMINTE *lit.*

« Madame, j'ai prié monsieur votre frère de vous rendre[3] cette lettre, qui vous dira ce que je n'ai osé vous aller dire. La grande négligence que vous avez pour vos affaires a été cause que le clerc de votre rapporteur[4] ne m'a point averti, et vous avez perdu absolument votre procès, que vous deviez gagner. »

CHRYSALE, *à Philaminte.*

1695 Votre procès perdu!

PHILAMINTE

                      Vous vous troublez beaucoup!
Mon cœur n'est point du tout ébranlé de ce coup.
Faites, faites paraître une âme* moins commune
A braver comme moi les traits de la fortune.

« Le peu de soin que vous avez vous coûte quarante mille écus, et c'est à payer cette somme, avec les dépens, que vous êtes condamnée par arrêt de la cour. »

---

1. *Mystère* : cérémonie religieuse ; ici, cérémonie familiale ; 2. *Procureur* : avoué ; 3. *Rendre* : remettre ; 4. *Rapporteur* : magistrat chargé, après étude d'une affaire, de présenter ses conclusions à l'approbation du tribunal.

Condamnée! Ah! ce mot est choquant et n'est fait
1700 Que pour les criminels.

ARISTE

                    Il a tort, en effet,
Et vous vous êtes là justement récriée.
Il devrait avoir mis que vous êtes priée
Par arrêt de la cour de payer au plus tôt
Quarante mille écus et les dépens qu'il faut.

PHILAMINTE

Voyons l'autre.

CHRYSALE lit.

« Monsieur, l'amitié qui me lie à monsieur votre frère
me fait prendre intérêt à tout ce qui vous touche. Je sais
que vous avez mis votre bien entre les mains d'Argante
et de Damon, et je vous donne avis qu'en même jour ils ont
fait tous deux banqueroute. »

1705 Ô ciel! tout à la fois perdre ainsi tout mon bien!

PHILAMINTE

Ah! quel honteux transport[1]. Fi! tout cela n'est rien.
Il n'est pour le vrai sage aucun revers funeste,
Et, perdant toute chose, à soi-même il se reste.
Achevons notre affaire, et quittez votre ennui[2] :
        (Montrant Trissotin.)
1710 Son bien peut nous suffire et pour nous et pour lui.

TRISSOTIN

Non, madame, cessez de presser cette affaire.
Je vois qu'à cet hymen tout le monde est contraire,

---

1. *Transport* : manifestation violente d'un sentiment ; 2. *Ennui* : tourment
violent, insupportable (sens fort).

─────── QUESTIONS ───────

● Vers 1687-1710. Pourquoi l'arrivée d'Ariste donne-t-elle quelque
espoir ? Montrez que ses premiers mots, malgré le ton tragique sur
lequel ils sont prononcés, ne sont pas pris véritablement au sérieux par
les spectateurs. — L'analogie entre les deux lettres n'accentue-t-elle
pas encore ce caractère d'invraisemblance ? Doit-on dire que la
comédie tourne ici au drame bourgeois ? Est-ce la première fois que,
dans une comédie de Molière, court le bruit d'une catastrophe qui
menace les personnages principaux, si près du dénouement (voir *le
Tartuffe*, en particulier) ? — Philaminte, devant l'adversité, ne recon-
quiert-elle pas une certaine estime ? Quelle est l'attitude de Chrysale,
après la lecture de la première lettre ? après la lecture de la seconde ?

Et mon dessein n'est point de contraindre les gens.

PHILAMINTE

Cette réflexion vous vient en peu de temps!
1715 Elle suit de bien près, monsieur, notre disgrâce[1].

TRISSOTIN

De tant de résistance à la fin je me lasse,
J'aime mieux renoncer à tout cet embarras
Et ne veux point d'un cœur qui ne se donne pas.

PHILAMINTE

Je vois, je vois de vous, non pas pour votre gloire,
1720 Ce que jusques ici j'ai refusé de croire.

TRISSOTIN

Vous pouvez voir de moi tout ce que vous voudrez
Et je regarde peu comment vous le prendrez;
Mais je ne suis point homme à souffrir l'infamie
Des refus offensants qu'il faut qu'ici j'essuie:
1725 Je vaux bien que de moi l'on fasse plus de cas,
Et je baise les mains[2] à qui ne me veut pas.
       (*Il sort.*)

PHILAMINTE

Qu'il a bien découvert son âme mercenaire[3]!
Et que peu philosophe[4] est ce qu'il vient de faire!

CLITANDRE

Je ne me vante point de l'être; mais enfin
1730 Je m'attache, madame, à tout votre destin[5];
Et j'ose vous offrir, avecque[6] ma personne,
Ce qu'on sait que de bien la fortune[7] me donne.

---

1. *Disgrâce :* infortune, malheur ; 2. Formule traditionnelle pour saluer les « dames », mais souvent, comme ici, avec une nuance d'ironie ; 3. *Mercenaire :* qui agit en seule vue du gain (v. vers 1544) ; 4. *Philosophe :* pris comme adjectif. (Rapprochez de « Mon flegme est philosophe », *le Misanthrope*) ; 5. A votre destin, quel qu'il soit ; 6. Voir vers 666 et la note ; 7. *La fortune :* ici, la chance.

--- QUESTIONS ---

● VERS 1711-1726. La sortie de Trissotin, de son plein gré, était-elle nécessaire ? Quel est l'intérêt de l'avoir mis ici en contradiction avec ses principes (v. vers 1544) ? — Qui se retourne contre lui dans ce passage ? Quelle est l'importance de ce revirement pour la suite de la pièce ? D'où vient le soulagement éprouvé par tout le monde après sa sortie ?

PHILAMINTE

Vous me charmez, monsieur, par ce trait généreux,
Et je veux couronner vos désirs amoureux.
1735 Oui, j'accorde Henriette à l'ardeur empressée...

HENRIETTE

Non, ma mère, je change à présent de pensée.
Souffrez que je résiste à votre volonté.

CLITANDRE

Quoi! vous vous opposez à ma félicité?
Et, lorsqu'à mon amour je vois chacun se rendre...

HENRIETTE

1740 Je sais le peu de bien que vous avez, Clitandre,
Et je vous ai toujours souhaité pour époux,
Lorsqu'en satisfaisant à mes vœux les plus doux
J'ai vu que mon hymen ajustait[1] vos affaires;
Mais lorsque nous avons les destins si contraires,
1745 Je vous chéris assez, dans cette extrémité,
Pour ne vous charger point de notre adversité.

CLITANDRE

Tout destin avec vous me peut être agréable;
Tout destin me serait sans vous insupportable.

HENRIETTE

L'amour dans son transport parle toujours ainsi.
1750 Des retours[2] importuns évitons le souci.
Rien n'use tant l'ardeur de ce nœud qui nous lie
Que les fâcheux besoins des choses de la vie,
Et l'on en vient souvent à s'accuser tous deux
De tous les noirs chagrins qui suivent de tels feux.

ARISTE, *à Henriette.*

1755 N'est-ce que le motif que nous venons d'entendre
Qui vous fait résister à l'hymen de Clitandre?

HENRIETTE

Sans cela, vous verriez tout mon cœur y courir;

---

1. *Ajuster* : arranger ; 2. *Retours* : regrets, repentirs.

Et je ne fuis sa main que pour le trop chérir[1].

ARISTE

Laissez-vous donc lier par des chaînes si belles.
1760 Je ne vous ai porté que de fausses nouvelles,
Et c'est un stratagème, un surprenant[2] secours,
Que j'ai voulu tenter pour servir vos amours,
Pour détromper ma sœur et lui faire connaître
Ce que son philosophe à l'essai pouvait être.

CHRYSALE

1765 Le ciel en soit loué!

PHILAMINTE

                            J'en ai la joie au cœur
Par le chagrin qu'aura ce lâche déserteur.
Voilà le châtiment de sa basse avarice,
De voir qu'avec éclat cet hymen s'accomplisse.

CHRYSALE, *à Clitandre.*

Je le savais bien, moi, que vous l'épouseriez.

ARMANDE, *à Philaminte.*

1770 Ainsi donc à leurs vœux vous me sacrifiez!

PHILAMINTE

Ce ne sera point vous que je leur sacrifie,
Et vous avez l'appui de la philosophie
Pour voir d'un œil content couronner leur ardeur.

BÉLISE

Qu'il prenne garde au moins que je suis dans son cœur.
1775 Par un prompt désespoir souvent on se marie,
Qu'[3]on s'en repent après tout le temps de sa vie.

---

1. Parce que je le chéris trop (sens causal, voir vers 1364 et la note) ;
2. *Surprenant :* inattendu ; 3. Si bien que.

———— QUESTIONS ————

● VERS 1727-1758. Pourquoi Molière introduit-il cette ultime péri-
pétie? Quelle est l'importance de ce passage pour le prestige d'Henriette aux yeux du spectateur? Comparez son désintéressement ici avec
son réalisme du début de la pièce; ne nous apparaît-elle pas sous
un jour beaucoup plus sympathique? — Clitandre nous surprend-il
par sa générosité? — Montrez le comique de la situation : c'est Clitandre qui, méprisé naguère par Philaminte, répond, sans en être prié,
au vers 1710 adressé à Trissotin. Quelle leçon Molière veut-il nous
faire tirer de cette « fable » du philosophe et de l' « honnête homme »?

CHRYSALE, *au notaire.*

Allons, monsieur, suivez l'ordre que j'ai prescrit,
Et faites le contrat ainsi que je l'ai dit.

———————— QUESTIONS ————————

● Vers 1759-1778. La révélation d'Ariste est-elle vraiment un coup de théâtre ? Pensons-nous vraiment que Chrysale et Philaminte étaient ruinés ? — Quel est le sens de l'exclamation de Chrysale (vers 1765) : bonheur né d'un heureux dénouement, ou soulagement que tout soit heureusement terminé sans qu'il ait eu à prendre une décision délicate ? — Montrez qu'Armande et Bélise, aussi bien que Chrysale, restent fidèles à leur caractère dans le dénouement de la comédie. Pouvaient-ils dire autre chose que ce que Molière leur fait dire ?

■ Sur l'ensemble de la scène IV. — En quoi cette scène réhabilite-t-elle Philaminte ? Si elle est guérie de Trissotin, l'est-elle de sa manie ? Comparez sa « conversion » à celle d'Orgon, à la fin du *Tartuffe,* et montrez que, sous deux formes différentes, les deux personnages restent prisonniers de leur idée fixe.

— Montrez en quoi réside l'opposition entre l'attitude de Clitandre et celle de Trissotin.

— Pourquoi Ariste attend-il le vers 1759 pour rétablir la vérité par son intervention ? Que prétendait-il démontrer ?

■ Sur l'ensemble de l'acte V. — En quoi ce dénouement est-il artificiel ? Montrez que son invraisemblance est atténuée par la persistance du caractère des personnages (celui d'Armande, de Philaminte, de Bélise et de Chrysale), et qu'il sort de ces caractères eux-mêmes. Dans la vie, le dénouement aurait-il été aussi heureux ?

— L'action dans cet acte : la situation subit-elle encore des modifications, ou bien n'avons-nous que la préparation et l'accomplissement du dénouement ? Soulignez-en les rebondissements.

— Le comique et l'inquiétude dans l'acte V : montrez que si l'un est toujours présent, l'autre reste en arrière-plan et nous maintient en haleine sans nous gâter le plaisir par une trop grande intensité.

— Montrez que nous assistons à une hiérarchisation des personnages, qui se substitue à l'opposition par groupes serrés autour d'un idéal : quels sont les personnages qui restent grands et sympathiques ? Quels sont ceux qui sortent grandis de cette épreuve ? Comment d'autres se sont-ils avilis même aux yeux de leurs alliés les plus acharnés ? Quels sont les individus qui restent simplement ridicules et médiocres ? Analysez en particulier l'évolution du groupe organisé autour des femmes savantes : comment chacun, en fonction de sa personnalité propre, se dirige vers un dénouement singulier. Montrez : 1° l'aspect artificiel de ce genre d'association groupant des personnalités disparates autour d'un idéal mal défini ; 2° l'importance fondamentale du caractère propre de chaque personnage, facteur de différenciation, donc de vraisemblance et d'intérêt, et, le cas échéant, de rédemption (cas de Philaminte).

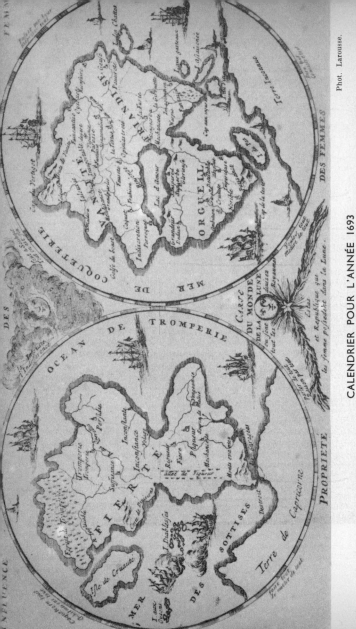

Phot. Larousse.

CALENDRIER POUR L'ANNÉE 1693

avec une « Carte des États que les femmes possèdent dans la Lune ». La mode des cartes psychologiques, sur le

LES FEMMES
SAVANTES
AUX
BOUFFES-
PARISIENS
(1960)

Phot. Bernand.

DOCUMENTATION THÉMATIQUE

réunie par la Rédaction des Nouveaux Classiques Larousse.

1. Molière et ses devanciers.

    1.1. Desmarets de Saint-Sorlin : *les Visionnaires.*

    1.2. Saint-Évremond : *les Académistes.*

2. L'accueil fait à la pièce ; les clefs.

    2.1. L'accueil des contemporains.

    2.2. Les clefs.

        A. Cotin et Ménage.

        B. La scène entre Vadius et Trissotin.

3. Molière et La Bruyère.

    3.1. La Bruyère répond à Philaminte.

    3.2. Émire.

4. Préciosité et pédantisme.

1. MOLIÈRE ET SES DEVANCIERS

1.1. DESMARETS DE SAINT-SORLIN : *LES VISIONNAIRES*

En 1637 paraît la première édition d'une comédie en cinq actes et en vers de Desmarets intitulée *les Visionnaires;* parmi les personnages, l'on trouve une certaine Hespérie dont le caractère chimérique est à rapprocher de celui de Bélise dans *les Femmes savantes.* Pour faciliter la comparaison, nous donnons ci-dessous la scène VI de l'acte premier où Hespérie expose la théorie de son personnage, tel qu'elle l'imagine, devant Filidan, « amoureux en idée » selon la caractérisation qu'en donne l'auteur lui-même. On rapprochera Bélise et ce personnage.

LES VISIONNAIRES

Scène VI.

HESPÉRIE

Cet amant s'est pâmé dès l'heure qu'il m'a vue ;
De quels traits, ma beauté, le ciel t'a-t-il pourvue ?
En sortant du logis je ne puis faire un pas
Que mes yeux aussitôt ne causent un trépas.
Pour moi, je ne sais plus quel conseil je dois suivre :
Le monde va périr, si l'on me laisse vivre.
Dieux ! que je suis à craindre ! Est-il rien sous les cieux
Au genre des humains plus fatal que mes yeux ?
Quand je fus mise au jour, la Nature peu fine
Pensant faire un chef-d'œuvre avançait sa ruine.
On compterait plutôt les feuilles des forêts,
Les sablons[1] de la mer, les épis de Cérès
Les fleurs dont au Printemps la terre se couronne,
Les glaçons de l'Hiver, les raisins de l'Automne,
Et les feux qui des nuits assistent le flambeau,
Que le nombre d'amants que j'ai mis au tombeau.
Celui-ci va mourir, lui rendrai-je la vie ?
Je le puis d'un seul mot, la pitié m'y convie.

FILIDAN

Bel azur, beau coral[2], aimables qualités.

---

1. *Sablon :* sable; **2.** *Coral :* forme ancienne pour *Corail.*

HESPÉRIE

Il n'est pas mort encore, il rêve à mes beautés.
Le dois-je secourir ? J'en ai la fantaisie.
Mais ceux qui me verraient mourraient de jalousie.
Que mon sort est cruel ! Je ne fais que du mal ;
Et ne puis faire un bien sans tuer un rival,
Je ne puis ouvrir l'œil sans faire une blessure,
Ni faire un pas sans voir une âme à la torture.
Si fuyant ces malheurs, je rentre à la maison,
Ceux qui servent chez nous tombent en pâmoison,
Ils cèdent aux rigueurs d'une flamme contrainte,
Et tremblent devant moi de respect et de crainte.
Ils ne sauraient me voir sinon en m'adorant,
Ni me dire un seul mot sinon en soupirant.
Ils baissent aussitôt leur amoureuse bouche,
Pour donner un baiser aux choses que je touche.
Toutefois ma beauté les sait si bien ravir,
Qu'ils s'estiment des Rois dans l'heur de me servir.
A table je redoute un breuvage de charmes ;
Ou qu'un d'eux ne me donne à boire de ses larmes.
Je crains que quelque amant n'ait avant son trépas
Ordonné que son cœur servît à mes repas.
Souvent sur ce penser en mangeant je frissonne :
Croyant qu'on le déguise, et qu'on me l'assaisonne,
Pour mettre dans mon sein par ce trait décevant,
Au moins après la mort ce qu'il ne put vivant.
Les amants sont bien fins au plus fort de leur rage ;
Et sont ingénieux même à leur dommage.
On dresse pour m'avoir cent pièges tous les jours.
Mon père aussi me veille, et craint tous ces amours.
Glorieux de m'avoir aux Dieux il se compare,
Et quelquefois ravi d'un miracle si rare,
Doute s'il me fit naître, ou si je vins des cieux.
Dans la maison sans cesse on a sur moi les yeux,
Lui plein d'étonnement, mes sœurs pleines d'envie,
Les autres pleins d'amour ; belle, mais triste vie !
Une beauté si grande est-elle à désirer ?
Mais j'aperçois mon père, il me faut retirer.

1.2. SAINT-ÉVREMOND, *LES ACADÉMISTES*

Scène II.

GODEAU, COLLETET

[Colletet s'étant prosterné devant Godeau, qui était évêque de Grasse, celui-ci le prie de ne pas le traiter en prince de l'Église, mais en simple confrère.]

GODEAU

Parlons comme autrefois avecque liberté :
Vous savez, Colletet, à quel point je vous aime.

COLLETET

Seigneur, votre amitié m'est un honneur extrême.

GODEAU

Oh bien ! seul avec vous, ainsi que je me voi,
Je vais prendre le temps de vous parler de moi.
Avez-vous vu mes vers ?

COLLETET

     Vos vers ! je les adore :
Je les ai lus cent fois, et je les lis encore.
Tout en est excellent, tout est beau, tout est net,
Exact et régulier, châtié tout à fait.

GODEAU

Manquai-je en quelque endroit à garder la césure ?
Y peut-on remarquer une seule hiature ?
Suis-je pas scrupuleux à bien choisir les mots ?
Ne fais-je pas parler chacun fort à propos ?
Le *decorum* latin, en français bienséance,
N'est si bien observé nulle part, que je pense.
Colletet, je me loue, il le faut avouer,
Mais c'est fort justement que je me puis louer.

COLLETET

Vous êtes de ceux-là qui peuvent dans la vie
Mépriser tous les traits de la plus noire envie.
Vous n'aviez pas besoin de votre dignité
Pour vous mettre à couvert de la malignité.

GODEAU

On se flatte souvent ; mais, si je ne m'abuse,
S'attaquer à Godeau, c'est se prendre à la muse ;
Et le plus envieux se verrait transporté,
S'il lisait une fois mon *Benedicite*.
O l'ouvrage excellent !

COLLETET

     O la pièce admirable !

GODEAU

Chef-d'œuvre précieux !

COLLETET

Merveille incomparable !

GODEAU

Que peut-on désirer après un tel effort ?

COLLETET

Qui n'en sera content aura, ma foi, grand tort.
Mais sans parler de moi trop à mon avantage,
Suis-je pas, monseigneur, assez grand personnage ?

GODEAU

Colletet, mon ami, vous ne faites pas mal.

COLLETET

Moi ! je prétends traiter tout le monde d'égal,
En matière d'écrits. Le bien est autre chose :
De richesse et de rang la fortune dispose.
Que pourriez-vous encor reprendre dans mes vers ?

GODEAU

Colletet, vos discours sont obscurs et couverts.

COLLETET

Il est certain que j'ai le style magnifique.

GODEAU

Colletet parle mieux qu'un homme de boutique.

COLLETET

Ah ! le respect m'échappe : et mieux que vous aussi.

GODEAU

Parlez bas, Colletet, quand vous parlez ainsi.

COLLETET

C'est vous, monsieur Godeau, qui me faites outrage.

GODEAU

Voulez-vous me contraindre à louer votre ouvrage ?

COLLETET

J'ai tant loué le vôtre !

GODEAU

Il le méritait bien.

COLLETET

Je le trouve fort plat pour ne vous celer rien.

GODEAU

Si vous en parlez mal, vous êtes en colère.

COLLETET

Si j'en ai dit du bien, c'était pour vous complaire.

GODEAU

Colletet, je vous trouve un gentil violon.

COLLETET

Nous sommes tous égaux, étant fils d'Apollon.

GODEAU

Vous, enfant d'Apollon ? vous n'êtes qu'une bête.

COLLETET

Et vous, monsieur Godeau, vous me rompez la tête.

⟨ On comparera les deux scènes : à laquelle revient l'avantage ?

2. L'ACCUEIL FAIT À LA PIÈCE; LES CLEFS

2.1. L'ACCUEIL DES CONTEMPORAINS

Le 25 mars 1672, *le Mercure galant* fait le compte rendu suivant :

Jamais dans une seule année l'on ne vit tant de belles pièces de théâtre et le fameux Molière ne nous a point trompés dans l'espérance qu'il nous avait donnée il y a tantôt quatre ans de faire représenter au Palais-Royal une pièce comique de sa façon qui fût tout à fait achevée. On y est bien diverti tantôt par ses Précieuses ou *Femmes savantes,* tantôt par les agréables railleries d'une certaine Henriette et puis par les ridicules imaginations d'une visionnaire qui se veut persuader que tout le monde est amoureux d'elle. Je ne parle point du caractère d'un père qui veut faire croire qu'il est le maître dans sa maison, qui se fait fort de tout quand il est seul et qui cède tout dès que sa femme paraît. Je ne dis rien aussi du personnage de Monsieur Trissotin qui, tout rempli de son savoir et tout gonflé de la gloire qu'il croit avoir méritée, paraît si plein de confiance de lui-même qu'il voit tout le genre humain fort au-dessous de lui. Le ridicule entêtement qu'une mère que la lecture a gâtée fait voir pour ce Monsieur Trissotin n'est pas moins plaisant, et cet entêtement, aussi fort que celui du père dans *Tartuffe,* durerait toujours si, par un artifice ingénieux d'un procès perdu et d'une banqueroute (qui n'est pas d'une moins belle invention que l'Exempt dans *l'Imposteur*), un frère qui, quoique bien jeune, paraît l'homme du monde du meilleur sens ne le venait faire cesser, en faisant le dénouement de la pièce. Il y a au troisième acte une querelle entre ce Monsieur Trissotin et un autre savant qui divertit beaucoup ; et il y a au dernier un retour d'une certaine Martine, servante de cuisine, qui avait été chassée au premier, qui fait extrêmement rire l'assemblée par un nombre infini de jolies choses qu'elle dit en son patois pour prouver que les hommes doivent avoir la préférence sur les femmes. Voilà confusément ce qu'il y a de plus considérable dans cette comédie qui attire tout Paris. Il y a partout mille traits pleins d'esprit, beaucoup d'expressions heureuses et beaucoup de manières de parler heureuses et hardies, dont l'invention ne peut être assez louée et qui ne peuvent être imitées. Bien des gens font des applications de cette comédie et une querelle de l'auteur il y a environ huit ans avec un homme de lettres qu'on prétend être représenté par Monsieur Trissotin, a donné lieu à ce qui s'en est publié ; mais M. de Molière s'est suffisamment justifié de cela par une harangue qu'il fit au public deux jours avant la première représentation de sa pièce : et puis ce prétendu original de cette agréable comédie ne doit pas s'en mettre en peine s'il est aussi sage et aussi habile homme que l'on dit, et cela ne servira qu'à faire éclater davantage son mérite, en faisant naître l'envie de le connaître, de lire de ses écrits et d'aller à ses sermons. Aristophane ne détruisit pas la réputation de Socrate, en le jouant dans une de ses farces et ce grand philosophe n'en fut pas moins estimé dans toute la Grèce ; mais pour bien juger du mérite de la comédie dont je viens de parler, je conseillerais à tout le monde de la voir et de s'y divertir sans examiner autre chose et sans s'arrêter à la critique de la plupart des gens qui croient qu'il est d'un bel esprit de trouver à redire. A Paris, le 12 mars. ... Monsieur Dangeau, gouverneur d'Anjou et autrefois maître de camp du régiment du Roi et destiné à l'Ambassade de Suède traita magnifiquement ce Prélat avec tous les Académiciens ses confrères. Monsieur Cotin n'était point de ce nombre de peur (dit-on) qu'on ne crût qu'il s'était servi de cette occasion pour se plaindre au Roi de la Comédie qu'on prétend que Monsieur de Molière ait faite contre lui ; mais on ne peut croire qu'un homme qui est souvent parmi les premières personnes de la Cour et que Mademoiselle honore du nom de son ami puisse être cru l'objet d'une si sanglante satire.

Le portrait en effet qu'on lui attribue ne convient point à un homme qui a fait des ouvrages qui ont eu une approbation aussi générale que ses Paraphrases sur le Cantique des Cantiques... A Paris, le 19 mars.

> On jugera des critiques faites et des éloges en tenant compte de l'époque ; on cherchera ce qui reste valable de nos jours. On approfondira le rapprochement évoqué entre Trissotin et Tartuffe (situation dans la famille et à l'égard du chef de famille, dont on déterminera ici l'identité ; manières d'agir, caractère, ambitions, succès). Le comique d'après ce texte et selon votre expérience de la pièce.
> Grimarest, dans sa *Vie de Molière* (1705), nous donne ici la réaction de Louis XIV. On jugera la réaction prêtée à Molière ; on étudiera également les divers échos de l'opinion, des courtisans : quelle lumière projettent-ils sur les femmes savantes comme types de personnages (actualité ; rang social).

Si le Roi n'avait eu autant de bonté pour Molière à l'égard de ses *Femmes savantes* que Sa Majesté en avait eu auparavant au sujet du *Bourgeois gentilhomme*, cette première pièce serait peut-être tombée. Ce divertissement, disait-on, était sec, peu intéressant, et ne convenait qu'à des gens de lecture. « Que m'importe, s'écriait M. le Marquis de ..., de voir le ridicule d'un pédant ? Est-ce un caractère à m'occuper ? Que Molière s'en prenne à la Cour, s'il veut me faire plaisir. — Où a-t-il été déterrer, ajoutait M. le Comte de ..., ces sottes femmes sur lesquelles il a travaillé aussi sérieusement que sur un bon sujet ? Il n'y a pas le mot pour rire à tout cela pour l'homme de la Cour et pour le peuple. » Le Roi n'avait point parlé à la première représentation de cette pièce. Mais à la seconde qui se donna à Saint-Cloud, Sa Majesté dit à Molière que, la première fois, elle avait dans l'esprit autre chose qui l'avait empêché d'observer sa pièce, mais qu'elle était très bonne, et qu'elle lui avait fait beaucoup de plaisir. Molière n'en demandait pas davantage, assuré que ce qui plaisait au Roi était bien reçu des connaisseurs, et assujettissait les autres. Ainsi il donna sa pièce à Paris avec confiance le 11 de mai [*sic,* pour mars] 1672.

2.2. LES CLEFS

Dès la première représentation de la pièce, les contemporains voient en Vadius et en Trissotin des personnages réels ; en outre, ils semblent aidés sur ce point par le fait que la grande scène qui les oppose chez Molière est, semble-t-il, la transposition d'une querelle identique qui serait intervenue entre les modèles supposés. Nous donnons ci-dessous les témoignages des contemporains ; on en fera une critique (points concordants ; divergences : raisons d'accorder plus de crédit à l'un qu'à l'autre ; intérêt d'une telle confrontation).

A. Cotin et Ménage.

◆ Cotin, dans la Comédie des *Femmes savantes,* reproche à Ménage d'assez plaisantes choses ; Ménage, à son tour, lui en reproche quelques autres qui ne sont pas mal plaisantes aussi.

Richelet, *Dictionnaire français.*

Ménage et Cotin se sont par plaisir adressés à Molière et Molière, qui était sensible, et qui d'ailleurs était sollicité par Despréaux, les a bernés dans la comédie des *Femmes savantes,* Ménage sous le nom de *Vadius,* et Cotin sous celui de *Trissotin.*

Richelet, *Dictionnaire français.*

On dit que les femmes savantes de Molière sont Mesd. de... et l'on me veut faire accroire que je suis le savant qui parle d'un ton doux. Ce sont choses cependant que Molière désavouait. Mais le Trissotin de cette même comédie est l'abbé Cotin, jusque-là que Molière fit acheter une de ses habits pour le faire porter à celui qui faisait ce personnage dans sa pièce. La scène où Vadius se brouille avec Trissotin parce qu'il critique le sonnet sur la fièvre, qu'il ne sait pas être de Trissotin, s'est passée véritablement chez M. B... Ce fut M. D... [Despréaux] qui la donna à Molière.

Menagiana.

◆ Cotin, qui n'avait été déjà que trop exposé au mépris public dans les satires de M. Despréaux, tomba entre les mains de Molière, qui acheva de le ruiner de réputation en l'immolant sur le théâtre à la risée de tout le monde. Je vous nommerais, si cela était nécessaire, deux ou trois personnes de poids qui, à leur retour de Paris, après les premières représentations de la comédie des *Femmes savantes,* racontèrent en province qu'il fut consterné de ce rude coup, qu'il se regarda et qu'on le considéra comme frappé de la foudre, qu'il n'osait plus se montrer, que ses amis l'abandonnèrent, qu'ils se firent une honte de convenir qu'ils eussent eu avec lui quelques liaisons, et qu'à l'exemple des courtisans qui tournent le dos à un favori disgracié, ils firent semblant de ne pas connaître cet ancien ministre d'Apollon et des neuf sœurs, proclamé indigne de sa charge et livré au bras séculier des satiriques. Je veux croire que c'étaient des hyperboles, mais l'on n'a point vu qu'il ait donné depuis ce temps-là nul signe de vie.

P. Bayle, *Réponse aux questions d'un provincial.*

Il est certain que dans l'article de *Cotin* à la *Réponse aux questions d'un provincial,* il manque une chose très essentielle et très curieuse, puisque l'on n'y trouve point la circonstance que vous me marquez, savoir que le sonnet qui est dans les *Femmes savantes,* est tiré mot à mot des *Œuvres* de l'abbé Cotin.

> P. Bayle, Lettre à M. Coste, 8 avril 1704, dans *Œuvres diverses.*

Et que sert à Cotin la raison qui lui crie...

> (Boileau, *Satire VIII,* v. 239.)

Au reste, il [l'abbé Cotin] ne se contenta pas dans ces deux ouvrages d'attaquer l'auteur de la Satire à Molière, mais il attaqua Molière lui-même qu'il traita avec le dernier mépris et l'obligea par là à faire *les Femmes savantes.* Le Sonnet et le Madrigal qu'on y tourne en ridicule sont tous de l'abbé Cotin et sont pris de ses *Œuvres galantes* où l'auteur les indiqua à Molière.

> Commentaire de Le Verrier dans F. Lachèvre, *les Satires de Boileau.*

B. LA SCÈNE ENTRE VADIUS ET TRISSOTIN.

Au reste, la charmante scène de Trissotin et de Vadius est d'après nature. Car l'abbé Cotin était véritablement l'auteur du sonnet à la Princesse Uranie. Il l'avait fait pour Mme de Nemours et il était allé le montrer à Mademoiselle, princesse qui se plaisait à ces sortes de petits ouvrages et qui d'ailleurs considérait fort M. Cotin, jusque-là même qu'elle l'honorait du nom de son ami. Comme il achevait de lire ses vers, Ménage entra. Mademoiselle les fit voir à Ménage, sans lui en nommer l'auteur; Ménage les trouva ce qu'effectivement ils étaient, détestables; là-dessus nos deux poètes se dirent à peu près l'un à l'autre les douceurs que Molière a si agréablement rimées.

> D'Olivet, *Histoire de l'Académie.*

Ce fut M. Despréaux qui fournit à Molière l'idée de la scène des *Femmes savantes* entre Trissotin et Vadius. La même scène s'était passée entre Gilles Boileau, frère du satirique, et l'abbé Cotin. Molière était en peine de trouver un mauvais ouvrage pour exercer sa critique, et M. Despréaux lui apporta le propre sonnet de l'abbé Cotin avec un madrigal du même auteur, dont Molière sut si bien faire son profit dans sa scène incomparable.

> Monchesnay, *Bolaeana.*

Ce témoignage est corroboré par Louis Racine dans ses *Mémoires* (1747).

3. MOLIÈRE ET LA BRUYÈRE

3.1. LA BRUYÈRE RÉPOND À PHILAMINTE

On étudiera le passage suivant des *Caractères* (III, 49) en lui-même (idées émises ; valeur propre ; indices d'un état d'esprit que l'on tentera de situer dans la civilisation de l'époque) ; puis par référence à la position de Philaminte ; enfin l'on confrontera le texte avec *les Femmes savantes* (III, II, vers 851-856).

Pourquoi s'en prendre aux hommes de ce que les femmes ne sont pas savantes ? Par quelles lois, par quels édits, par quels rescrits leur a-t-on défendu d'ouvrir les yeux et de lire, de retenir ce qu'elles ont lu et d'en rendre compte ou dans leur conversation, ou par leurs ouvrages ? Ne se sont-elles pas au contraire établies elles-mêmes dans cet usage de ne rien savoir, ou par la faiblesse de leur complexion, ou par la paresse de leur esprit ou par le soin de leur beauté, ou par une certaine légèreté qui les empêche de suivre une longue étude, ou par le talent et le génie qu'elles ont seulement pour les ouvrages de la main, ou par les distractions que donnent les détails d'un domestique[1], ou par un éloignement naturel des choses pénibles et sérieuses, ou par une curiosité toute différente de celle qui contente l'esprit, ou par un tout autre goût que celui d'exercer leur mémoire ? Mais à quelque cause que les hommes puissent devoir cette ignorance des femmes, ils sont heureux que les femmes, qui les dominent d'ailleurs par tant d'endroits, aient sur eux cet avantage de moins.

On regarde une femme savante comme on fait une belle arme : elle est ciselée artistement, d'une polissure admirable et d'un travail fort recherché ; c'est une pièce de cabinet, que l'on montre aux curieux, qui n'est pas d'usage, qui ne sert ni à la guerre ni à la chasse, non plus qu'un cheval de manège, quoique le mieux instruit du monde.

Si la science et la sagesse se trouvent unies en un même sujet, je ne m'informe plus du sexe : j'admire ; et si vous me dites qu'une femme sage ne songe guère à être savante, ou qu'une femme savante n'est guère sage, vous avez déjà oublié ce que vous venez de lire, que les femmes ne sont détournées des sciences que par de certains défauts : concluez donc vous-mêmes que moins elles auraient de ces défauts, plus elles seraient sages, et qu'ainsi une femme sage n'en serait que plus propre à devenir savante, ou qu'une femme savante,

---

1. *Domestique* : les détails de l'intérieur d'un ménage.

n'étant telle que parce qu'elle aurait pu vaincre beaucoup de défauts, n'en est que plus sage.

3.2. ÉMIRE

On tentera de dégager du portrait d'Émire l'attitude de La Bruyère à l'égard des femmes ; on comparera avec La Fontaine (les fables traitant des femmes) et avec Molière. A quel personnage des *Femmes savantes* Émire fait-elle penser ?

4. PRÉCIOSITÉ ET PÉDANTISME

P. Bénichou (*Morales du Grand Siècle*) attire l'attention sur l'association que fait Molière ici entre préciosité et pédantisme :

La solidarité établie par Molière dans *les Femmes savantes* entre la préciosité et le pédantisme n'est pas moins digne de remarque. Le type du pédant était un des plus incompatibles avec les habitudes du beau monde, et tous les témoignages du temps font de l'horreur du pédantisme un des caractères de la Précieuse, qui, selon l'abbé de Pure, est en « guerre immortelle contre le Pédant et le Provincial ». De même la précieuse de la *Satire X* de Boileau, loin de se laisser embrasser « pour l'amour du grec »,

rit des vains amateurs du grec et du latin.

Molière a donc multiplié les traits qui pouvaient distinguer ses précieuses de celles de la belle société. Non qu'il admirât ces dernières sans réserves mais la façon dont il caricaturait leurs imitatrices ne trahit en tout cas aucun parti pris bourgeois.

On étudiera ce jugement en liaison avec le texte de Grimarest donné en **2.1.** et en complétant avec le passage suivant du même critique contemporain.

L'esprit véritable des *Femmes savantes* doit être cherché dans la véhémente apologie du goût de la Cour, adressée aux pédants par Clitandre, fils de gentilhomme et honnête homme de la pièce. Ce Clitandre, qui « consent qu'une femme ait des clartés de tout », mais ne veut pas qu'elle se pique de science, ni qu'elle étale ce qu'elle sait, a exactement les opinions de Mlle de Scudéry. Les femmes savantes de Molière sont donc inférieures à leurs lectures, comme le milieu littéraire lui-même, trop habitué à se piquer de bel esprit, était au-dessous du bon ton véritable. L'anonyme *Portrait de la précieuse,* qui se trouve dans le *Recueil* de Mlle de Montpensier, indique que les précieuses vont rarement à la Cour, « parce qu'elles n'y sont pas les bienvenues ».

JUGEMENTS SUR « LES FEMMES SAVANTES »

L'accueil.

On y est bien diverti tantôt par ces précieuses, ou femmes savantes, tantôt par les agréables railleries d'une certaine Henriette, et puis par les ridicules imaginations d'une visionnaire qui se veut persuader que tout le monde est amoureux d'elle. Je ne parle point du caractère d'un Père, qui veut faire croire qu'il est le maître dans sa maison, qui se fait fort de tout quand il est seul, et qui cède tout dès que sa femme paraît. Je ne dis rien aussi du personnage de M. Trissotin qui, tout rempli de son savoir et tout gonflé de la gloire qu'il croit avoir méritée, paraît si plein de confiance de lui-même, qu'il voit tout le genre humain fort au-dessous de lui.

> Donneau de Visé,
> *le Mercure galant,* 12 mars 1672.

Sa dernière (comédie) a été *les Femmes savantes,* ou *Trissotin,* comme on le nommait auparavant la représentation. On l'a trouvée fort plaisante, mais un peu trop savante.

> Huygens,
> *Lettre du 1ᵉʳ avril 1672.*

Je vous rends mille grâces, mon Révérend Père, des livres que vous m'avez envoyés [...]. Pour la comédie des *Femmes savantes,* je l'ai trouvée un des plus beaux ouvrages de Molière; la première scène des deux sœurs est plaisante et naturelle; celle de Trissotin et des Savantes, le dialogue de Trissotin et de Vadius, le caractère de ce mari qui n'a pas la force de résister en face aux volontés de sa femme et qui fait le méchant quand il ne la voit pas, ce personnage d'Ariste, homme de bon sens et plein d'une droite raison, tout cela est incomparable.

> Bussy-Rabutin,
> *Lettre au P. Rapin* (1673).

Et Bussy-Rabutin ajoute des réserves que nous avons signalées et indiquées dans la Notice, p. 11.

L'effet.

Les Précieuses ridicules et *les Femmes savantes* firent tant de honte aux dames qui se piquaient trop de bel esprit, que toute la nation des précieuses s'éteignit en moins de quinze jours; ou du moins, elles se déguisèrent si bien là-dessus qu'on n'en trouva plus ni à la cour ni à la ville, et même, depuis ce temps-là, elles ont été plus en garde contre la réputation de savantes et de précieuses que contre celle de galantes et de déréglées.

> Père Rapin,
> *Lettres* (1673).

Lorsque des femmes se sont vues attaquées sur des amusements innocents, elles ont compris que, honte pour honte, il fallait choisir celle qui leur rendait davantage, et elles se sont livrées au plaisir.

> Marquise de Lambert,
> *Réflexions nouvelles sur les femmes* (1727).

Il y a un progrès nécessaire des lumières comme des mœurs, auquel il est impossible de résister.

> Thomas,
> *Essai sur le caractère, les mœurs et l'esprit des femmes* (1772).

Le sujet.

Le sujet des *Femmes savantes* paraissait bien peu susceptible [...] d'un comique divertissant et d'un comique moral. Il était difficile de remplir cinq actes avec un ridicule aussi mince et aussi facile à épuiser que celui de la prétention au bel esprit. Molière, qui l'avait déjà attaqué dans les *Précieuses ridicules*, l'acheva dans les *Femmes savantes*. Mais on fut d'abord si prévenu contre la sécheresse du sujet, et si persuadé que l'auteur avait tort de s'obstiner à en tirer une pièce en cinq actes, que cette prévention, qui aurait dû ajouter à la surprise et à l'admiration, s'y refusa d'abord, et balança le plaisir que faisait l'ouvrage et le succès qu'il devait avoir. L'histoire du *Misanthrope* se renouvela pour un autre chef-d'œuvre, et ce fut encore le temps qui fit justice. On s'aperçut de toutes les ressources que Molière avait tirées de son génie pour enrichir l'indigence de son sujet.

> La Harpe,
> *Molière et la comédie* (1786).

Le mouvement de la pièce.

Une action alerte, clairement nouée et dénouée sans artifice, animée par les trouvailles incessantes de plaisanteries joviales, et cependant si justes qu'elles semblent comme le miroir des personnages et de la vie. Il n'y a pas, en dehors des farces ou comédies-farces, de « grande comédie », comme l'on disait, qui soit animée d'une gaîté si jaillissante.

> Daniel Mornet,
> *Histoire générale de la littérature française* (1930).

Pièce trop soignée et sans verve.

> Antoine Adam,
> *Histoire de la littérature française au XVIIe siècle* (1952).

Les personnnages masculins.

Chrysale.

Son travers est d'avoir peur de sa femme et de s'imaginer qu'il ne la craint pas. Il cède toujours, en croyant ne faire que sa volonté. Il obéit à haute voix, pour se persuader qu'il commande.

Désiré Nisard,
Histoire de la littérature française (1844).

Clitandre.

L'apologie de la cour, faite par Clitandre, n'est pas simplement une convenance du personnage et une adresse de la part du poète, c'est aussi une justice : il y avait à la cour de Louis XIV trop d'esprit, trop d'élégance, trop de délicatesse, et un sentiment trop sûr des bienséances, pour qu'il n'y eût pas aussi beaucoup de goût : car le goût se compose de toutes ces choses.

Auger,
Mélanges philosophiques et littéraires (1828).

Les pédants.

Trissotin et Vadius resteront les types du cuistre arriviste et du cuistre gaffeur, comme Diafoirus et son fils Thomas ceux de la routine solennelle et de la sottise présomptueuse en des ânes savants. Molière était, sans doute, alors exaspéré par les jappements des pamphlétaires acharnés à ses trousses, et par les tortures du mal qui le rongeait, et ses ressentiments d'auteur calomnié et de malade incurable l'emportèrent à des accès d'amertume et de violence. Dans ses attaques visiblement personnelles contre l'abbé Cotin et Ménage, dans ses négations absolues de la science médicale, il dépasse, avec la mesure, le fond même de sa vraie pensée. Mais après tout, nous le savons, il les présentait tels qu'il les connaissait, ni plus grossiers ni plus orgueilleux. Que raillait-il, chez les uns et chez les autres ? la fausse science, l'érudition livresque, la soumission aveugle aux formules scolaires; chez les lettrés, l'engouement de l'effet verbal au lieu de l'expression et traduction sincère des sentiments naturels; chez les médecins, une confiance paresseuse et périlleuse en des axiomes immuables, au lieu d'une étude attentive et libre des réalités. C'est toujours le même esprit de retour à la nature et à l'expérience transmis par les maîtres : Rabelais, Montaigne, Gassendi.

Georges Lafenestre,
Molière (1909).

Ariste.

Dans la série des sages de Molière, comme le Cléante du *Tartuffe*, ou le Béralde du *Malade imaginaire*, Ariste a une physionomie bien distincte. Il est assez rarement « raisonneur » : presque tout son rôle est en action ; sa destination est d'être pour Chrysale comme un réservoir d'énergie, de soutenir ainsi pendant trois actes l'action dramatique et d'assurer à la fin, un heureux dénouement par son stratagème.

> Gustave Reynier,
> *les Femmes savantes* (1937).

Les personnages féminins.

Henriette et Armande.

Fille respectueuse et attachée à ses parents, Henriette n'est pas dupe de leurs défauts ; et quand il y va de son bonheur, elle sait se défendre d'une main douce, mais ferme. Dans la conduite, elle est sensée, discrète, honorable. Je n'ai pas peur de l'honnête liberté de ses discours : une fille qui montre ainsi sa pensée n'a rien à cacher ; et si j'étais à la place de Chrysale, j'aurais bien plus de souci d'Armande, dont le front rougit au seul mot de mariage, que d'Henriette, qui désire honnêtement la chose, et qui ne voit l'amour que dans un mariage où le cœur est approuvé par la raison.

> Désiré Nisard,
> *Histoire de la littérature française* (1844).

Il me paraît évident que, dans la pensée de Molière, Armande est une pécore infiniment déplaisante, sèche, envieuse, d'ailleurs ridicule d'un bout à l'autre de la pièce [...]. Il la déteste parce qu'elle est « l'artifice », comme il aime Henriette, parce qu'elle est la nature [...]. Mais j'ai expliqué une fois à quel point l'âme de la bonne Henriette nous a quelque peu suffoqués, à la fin, par son naturel et que, d'autre part, tout l'artificiel de la pauvre Armande a trouvé insensiblement grâce à nos yeux. Nous lui avons passé un peu de pédanterie, et nous n'avons point partagé la haine de Molière contre certains excès de spiritualité et de pudeur même équivoque et troublée.

> Jules Lemaitre,
> *Impressions de théâtre*, 8ᵉ série (1895).

Armande est l'intellectuelle idéaliste. Elle a plus d'orgueil que de vanité, ce qui la fait très supérieure, sachons le reconnaître, aux Cathos, aux Magdelon et aux Bélise. Elle s'est persuadée que la gloire de la femme est de s'élever au-dessus des sens, au-dessus de la vile matière et de mépriser les sollicitations de la nature. Elle a quelque chose d'Hypatie et quelque chose des femmes de

Corneille [...]. Armande a voulu sortir du commun, ce que Molière ne pardonne jamais, et ce que la vie rarement pardonne, à vrai dire.

Emile Faguet,
En lisant Molière (1914).

Henriette est une fille haïssable [...]. Sa sœur heureusement est pire encore. Armande était belle, faite pour aimer et pour être aimée. Elle s'est installée dans l'imposture. Elle ment à elle-même plus qu'elle ne ment aux autres. Elle s'enivre d'un orgueil chimérique, d'un idéal absurde.

Antoine Adam,
Histoire de la littérature française au XVIIe siècle (1952).

Philaminte.

Il faut reconnaître en elle de l'intelligence, un généreux désir de s'élever au-dessus de l'existence banale généralement imposée aux personnes de son sexe, une confiance absolue dans la vertu des sciences qu'elle s'efforce d'atteindre... [Mais Molière] l'a chargée de ridicules assez forts, il l'a montrée en extase devant Trissotin, exaltant ses vers, résolue à le prendre pour gendre, révélant ainsi une absence totale de jugement et de goût.

Gustave Reynier,
les Femmes savantes (1937).

Personnage excellent [...]. Grâce à elle, cette comédie bourgeoise devient un drame bourgeois qui se tient.

Antoine Adam,
Histoire de la littérature française au XVIIe siècle (1952).

Bélise.

Ce rôle m'a toujours paru, dans les bonnes pièces de Molière, le seul qui soit réellement ce qu'on appelle chargé.

Bussy-Rabutin,
Lettres (1673).

L'intellectuelle, c'est le personnage féminin comique que Molière a poursuivi sous les différentes formes qu'il revêt. Cathos et Madelon sont les intellectuelles mondaines, les « snobinettes », comme nous disons, du monde intellectuel... Bélise est tout autre. C'est l'intellectuelle romanesque. Son rôle pourrait être intitulé : *à quoi rêvent les vieilles filles*... Armande est l'intellectuelle idéaliste [...]. Philaminte est presque l'intellectuelle complète. Elle a du moins les plus hauts défauts de l'intellectuelle.

Émile Faguet,
En lisant Molière (1914).

Martine.

La Martine des *Femmes savantes* n'est plus qu'une pauvre fille qui n'est sans doute pas sotte, qui est dévouée, qui fait fort bien son métier de servante, mais que les exigences grammaticales et linguistiques de Philaminte ont réduite à l'ahurissement et à la stupidité.

Daniel Mornet,
Molière (1943).

Martine est terne et ennuyeuse.

Antoine Adam,
Histoire de la littérature française au XVIIe siècle (1952).

Valeur de la pièce.

Molière est souvent inimitable. Il est des endroits dans *les Femmes savantes* qui font tomber la plume des mains. Si l'on a quelque talent, il s'éclipse. On reste des jours entiers sans rien faire. On se déplaît à soi-même. Le courage ne revient qu'à mesure qu'on perd la mémoire de ce qu'on a lu.

Diderot,
Texte cité par G. Reynier.

Deux sœurs qui se déchirent, un mari faussement énergique, une mère tyrannique, un aigrefin qui s'est introduit dans la place, cette pièce à l'intérieur de l'autre est vraiment belle. Mais c'est encore une fois un drame bourgeois et non une comédie.

Antoine Adam,
Histoire de la littérature française au XVIIe siècle (1952).

Les intentions de Molière.

Le ridicule que Molière et Despréaux ont jeté sur les femmes a semblé, dans un siècle poli, justifier les préjugés de la barbarie. Mais Molière, ce législateur dans la morale et dans les bienséances du monde, n'a pas assurément prétendu, en attaquant les femmes savantes, se moquer de la science et de l'esprit. Il n'en a joué que l'abus et l'affectation.

Voltaire,
Dédicace d' « Alzire » à Mme du Châtelet (1736).

Qu'est-ce qu'il attaque ? et qui, lui-même, a-t-il attaqué ? Ce sont les précieuses, Cathos, Magdelon, Philaminte ; ce sont les pédants, Oronte, Trissotin, Vadius. Ce sont encore les prudes [...], ce sont les marquis, ce sont les coquettes, ce sont les barbons amoureux, ce sont les hypocrites — ce sont tous ceux enfin dont on peut dire que le ridicule ou l'odieux consiste essentiellement à farder, à déguiser, à masquer ou à dénaturer la nature.

Ferdinand Brunetière,
Conférence à l'Odéon (1888).

C'est le procès aux siècles littéraires que Molière fait dans *les Femmes savantes*. La littérature a une foule d'excellents effets et d'excellentes influences; mais, comme toute chose, elle a son danger aussi, quand elle prend une grande importance dans la vie d'une nation. Elle est séduisante au point de faire oublier la réalité et de faire peu à peu perdre le sens du réel. Elle crée des êtres factices, pour ainsi dire, des êtres qui ne vivent ou ne voudraient vivre que d'idées et de beaux entretiens. Formes et effets de cet état d'esprit : le salon littéraire, le pédant, le précieux, la précieuse, la « spirituelle », etc. Ces êtres factices et qui voudraient être immatériels sont des êtres comme nous, pourtant; ils sont pères, mères, maîtres de maison. Et la réalité, dont ils voudraient s'abstraire, existe autour d'eux et prend sur eux sa revanche [...]. Il faut bien se garder de s'écarter ainsi de la nature. La littérature, la spéculation sont au nombre des choses qui en éloignent. Elles peuvent égarer, elles peuvent pervertir. Et voici Molière, que Rousseau a tant attaqué, qui soutient dans *les Femmes savantes* la thèse de Rousseau sur la mauvaise influence des lettres, des sciences et des arts pour le bonheur de l'humanité. Il la soutient, en effet, ce n'est pas douteux, et il faut savoir le reconnaître; mais il la soutient avec ce sentiment de la mesure qu'il a apporté partout, et avec un juste discernement du point où les choses bonnes peuvent devenir mauvaises, et dangereuses les salutaires. Il attaque et il condamne les lettres, les sciences et les arts au moment seulement où ils menacent d'absorber l'homme tout entier, au moment où, d'ornements et d'appui de l'humanité, ils menacent de se transformer en une obstination et un entêtement qui écarteraient l'homme de son vrai chemin.

Émile Faguet,
Propos de théâtre, 1re série (1903).

Précieuses et femmes savantes ont été, dès le XVIIe siècle, des sortes de féministes. Pour la loi, la femme et la jeune fille étaient exactement des esclaves. Armande le dit : il était criminel à une jeune fille de ne pas épouser le mari choisi par ses parents, même s'ils choisissaient un pédant sournois et cupide comme Trissotin, une répugnante canaille comme Tartuffe. Nous ne pouvons pas blâmer celles qui enseignaient à Henriette ou Mariane qu'elles avaient une dignité et une liberté. [...]

Ce dont Molière veut se moquer, ce dont il veut faire rire, c'est de la vanité, de telle ou telle sorte de vaniteux; leur portrait peut être poussé jusqu'à la caricature; nous discernons la caricature sans crier à l'injustice, parce qu'il ne peut y avoir d'injustice que si l'on donne la caricature pour un portrait.

Daniel Mornet,
Molière (1943).

Quelle clarté une telle œuvre peut-elle apporter sur la pensée de Molière ? et faut-il croire qu'il a confié à Chrysale, à Clitandre, à Henriette, la mission de nous instruire ? Ce qui plutôt trahit le fond de sa pensée, c'est le rôle d'Armande. On devine l'exaspération de Molière, l'antipathie instinctive, l'horreur. Ce faux idéalisme n'est à ses yeux que mensonge [...]. Il n'est de santé et de vérité que dans l'obéissance aux lois de la nature. A cette maxime se ramène toute la pensée de Molière quand il écrit *les Femmes savantes*.

> Antoine Adam,
> *Histoire de la littérature française au XVIIe siècle* (1952).

Dangers de ces intentions.

« Puissé-je avoir un petit foyer, un toit simple et qui ne craigne point la fumée, une source d'eau vive auprès, et l'herbe de la prairie. Et avec cela que j'aie un domestique bien nourri, une femme qui ne soit pas trop savante; la nuit, du sommeil, et le jour point de procès! » C'est le vœu de Martial dans les vers les plus sentis qu'il ait faits. Juvénal n'est pas mieux disposé que lui pour les femmes savantes; il veut, au besoin, pouvoir faire un solécisme sans être repris. Cette manière de voir, qui est celle de toute une classe d'esprits vigoureux et francs, a été poussée à fond et couronnée du génie même de la gaieté par Molière, en son immortelle comédie. Il n'y a plus après cela qu'à tirer l'échelle de ce côté : mais de l'autre, les autorités et les raisons ne sont pas moindres. Une femme savante de profession est odieuse; mais une femme instruite, sensée, doucement sérieuse, qui entre dans les goûts, dans les études d'un mari, d'un frère ou d'un père; qui, sans quitter son ouvrage d'aiguille, peut s'arrêter un instant, comprendre toutes les pensées et donner un avis naturel, quoi de plus simple, de plus désirable ?

> Sainte-Beuve,
> *Lundis* (1850).

De même que les personnes pieuses auront toujours contre *Tartuffe* un grief assez fondé, de même il me semble que les personnes sérieuses auront toujours quelque peine à accepter *les Femmes savantes*. Cette façon de présenter les meilleures choses par leur côté ridicule a toujours de graves inconvénients dans un pays comme le nôtre, où le ton est la règle à peu près souveraine de l'opinion.

> Ernest Renan,
> *Journal des débats* (1854).

SUJETS DE DEVOIRS ET D'EXPOSÉS

NARRATIONS

● Parlant de « ses » domestiques, Chrysale s'écrie :

« L'un me brûle mon rôt en lisant quelque histoire,
L'autre rêve à des vers quand je demande à boire. »

Imaginez plus en détail les deux scènes et racontez-les.

● Chrysale a le souci du « qu'en-dira-t-on ». Supposez et racontez les commérages du quartier sur tout ce qui se passe dans sa maison.

● Martine rencontre une de ses amies d'enfance et lui explique pourquoi elle a été chassée par Philaminte.

● Henriette raconte à Clitandre la visite de Trissotin.

● Imaginez deux portraits de Trissotin, l'un vu par Philaminte, l'autre vu par Henriette.

LETTRES ET DIALOGUES

● Chrysale écrit à un de ses amis pour lui faire part du mariage de sa fille ; il explique les raisons pour lesquelles les « femmes savantes » ont essayé d'empêcher cette union et comment tout a été réglé... grâce à lui !

● Il y a entre l'acte premier et l'acte II des *Femmes savantes* une conversation entre Ariste et Clitandre. Clitandre lui expose la situation et lui demande son appui.

● Un « bon bourgeois » du XVIIᵉ siècle met à profit les enseignements des *Femmes savantes* et donne des instructions au précepteur de ses filles.

● Mᵐᵉ de Sévigné rend compte des *Femmes savantes* à sa fille.

● Molière indique à Boileau quelles furent ses véritables intentions en écrivant *les Femmes savantes*. On peut imaginer aussi la réponse de Boileau.

DISSERTATIONS

● D'après *les Femmes savantes*, essayez d'imaginer la vie privée d'une riche famille bourgeoise du XVIIᵉ siècle.

● Essayez de donner une idée exacte du rôle que Molière assigne au père de famille ; comparez, à cet effet, les critiques qu'il fait adresser à Chrysale par Ariste, et, d'autre part, le ridicule dont il couvre les pères tyranniques (Harpagon, Orgon, Argan...).

● Place de Martine parmi les servantes de Molière.

● En quoi Armande est-elle la disciple des précieuses ? Par quoi se distingue-t-elle ?

● Comparez la tyrannie tracassière de Philaminte et d'Armande à celle d'autres personnages des comédies de Molière, et montrez comment on a pu dire que Molière avait été une manière de champion de la tolérance, au sens le plus large du mot.

● Henriette vous semble-t-elle être la jeune fille idéale ?

● Montrez que, entre Chrysale et Philaminte, Henriette représente un bon sens plus généreux que celui de l'un et une générosité plus sensée que celle de l'autre.

● Voltaire explique la froideur de l'accueil fait aux *Femmes savantes* par ce fait que Molière « attaquait un ridicule qui ne semble propre à réjouir ni le peuple ni la Cour, à qui ce ridicule paraissait être également étranger ». Faguet affirme cependant : « *Les Femmes savantes* plairont toujours à ceux qui n'ont point d'instruction, qui sont incapables d'en acquérir et qui se vengent par en médire. » Pensez-vous que cette œuvre soit réduite à rester sans succès ou à ne prétendre qu'à un public de qualité inférieure ?

● Ne pourrait-on pas objecter à Molière que le despotisme de Philaminte suppose la lâcheté de Chrysale ? et que, dans un ménage où le mari est digne d'être chef de maison, des femmes savantes ne seront jamais aussi odieuses ? Conséquences de cette remarque, quant à la portée de la pièce.

● « Une belle femme qui a les qualités d'un honnête homme est ce qu'il y a au monde d'un commerce plus délicieux [le plus délicieux] : l'on trouve en elle tout le mérite des deux sexes. » (La Bruyère, *les Caractères*. « Des Femmes », XIII.) Comparez cet idéal de la femme à celui que Molière nous invite à concevoir dans *les Femmes savantes*.

● Les femmes savantes bénéficient-elles, de nos jours, de plus de sympathie ? Pourquoi ?

● En quoi *les Femmes savantes* sont-elles un aboutissement et un élargissement des *Précieuses ridicules* ?

● Expliquez ce jugement de Faguet : « *Les Femmes savantes* sont une comédie très complexe, et c'est même la comédie la plus complexe de Molière. Il y a, dans *les Femmes savantes*, une comédie, une farce et une thèse. »

● La critique littéraire dans *les Précieuses ridicules*, la *Critique de « l'Ecole des femmes »*, l'*Impromptu de Versailles*, le *Misanthrope*, *les Femmes savantes*.

TABLE DES MATIÈRES

IMPRIMERIE HÉRISSEY. — 27000 - ÉVREUX.
Dépôt légal : Janvier 1971. — N° 44449. — N° de série Éditeur : 14416.
IMPRIMÉ EN FRANCE *(Printed in France)*. — 870 105 G-Février 1988.